The Magic of Memos

メモの魔力

Yuji Maeda

前田裕二
SHOWROOM社長

NEWS PICKS × GENTOSHA 幻冬舎
NEWSPICKS BOOK

メモの魔力

The Magic of Memos

序章

「メモの魔力」を持てば世界に敵はいない

「どうしてそんなにメモをとるんですか？」
「そんなに書くことってありますか？」
「メモとっても見返さなくないですか？」

これらは、大袈裟ではなく、数日に1回のペースで必ず、僕が人から聞かれている質問です。自分の中では至極当たり前のことでしたし、特に深く考えたことがなかったのですが、確かに、僕は、365日、とにかくおびただしい量のメモをとっています。朝起きて、夜寝るまで、いつでも、メモがとれる状態にあります。「ここまで来ると狂気だ」と言う人もいます。メモの狂気。そう言われて、改めて自分自身に「なぜ？」を投げかけ、メモの意義を問うてみたのが、本書を書く筆を手にしたきっかけです。

映画や演劇などを観ていても、気づいたことを相当な分量メモします。おそらく、一つの作品につき、多いときで100個以上、少なくとも数十個のポイントはメモしていると思います。「あの舞台どうだった?」と聞かれて、「最高だったよ。感想は10個あってね……」と言って、逃げられたこともあります(笑)。

街に出るときも、「あの看板ってなぜあんなデザインなのかな?」「この広告のコピーはなぜこうしたんだろう?」と、自分の心がたくさんの情報をキャッチできるように、いつも思いきり毛穴をむき出しにして歩いています。街と対話して、考え、気づいたことを、よく立ち止まってはメモしています。

映画やテレビ、ネットコンテンツなどで「ヒットしている」と騒がれるものがあるともうワクワクが止まらなくて、「なんでこれはこんなに流行《はや》ってるんだろう」とすぐに考えて、オリジナルのノートにメモしています。イベントや、会食、ランチのときも、当然相手に了承を得つつも、気づいたことや、頭の中に思い浮かんだアイデアがあれば、すべてメモします。

就職活動のときは、自己分析を深めるために内省メモを続け、自己流で作っていた「自己分析ノート」は、最終的には30冊を超えました。起業のアイデアもノートに書き溜《た》めて、そこで描いたビジネスモデルの数は100を超えました。

なぜ僕は、ここまで狂ったように「メモ」にこだわるのか。

それは、この「魔法の杖なんてない」と言われる世知辛い社会において、メモこそが自分の人生を大きく変革した「魔法の杖」であると直感しているからです。そして、今後も、その魔力で僕の人生を良い方向に導いてくれるであろう、という確信があるからです。

一体、どんな魔力なのか。まず、メモをとると、あらゆる日常の出来事を片っ端からアイデアに転換できます。一見価値のなさそうな、普通の感覚では誰もがスルーしてしまう小さな事象でさえ、メモすることで、それはアイデアになる。メモの魔力は、日常をアイデアに変えるのです。

また、メモの効用は、アイデアを生み出すことに留まりません。

対象を「自分自身」に向けることで「自分とは何か」も見えてきます。つまり、自己分析が深まる、ということです。「自分を知る」などと言うと「今さら自分探し?」という声が聞こえてきそうですが、今の時代、自分を知ることはすごく大切です。今後、お金をどれだけ持っているか、ではなく、人の感情や共感などといった「内在的な価値」こそが評価対象になるという「価値経済」が大きく勃興することは、ほぼ間違いないでしょう。そんな時代の中で、「自分をよく知って何かに熱中している人」こそ、多くの共感を集める人になる、すなわち価値を持つのだと強く思います。

メモがあなたの「人生のコンパス」を作る

普通、自分を知る経験といえば、いわゆる就職活動の流れで誰もが通る「自己分析」でしょう。とはいえ、「面接のために仕方なく『自己分析』をやった」という人がほとんどではないでしょうか。

自分は何が好きなのか？　何が嫌いなのか？　何が得意なのか？　何が苦手なのか？　こういったことを必要に迫られて（人によっては半ば嫌々）整理したと思います。

ただ、僕は、この自己分析をやり切った人をあまり知りません。多くの人は自己分析を中途半端に終えてしまって、自分のことを深く知らないまま、ものさしのないまま、流れに身を委ねて日々を漫然と過ごし続けてしまいます。もちろん、それも一つの生き方であるし、否定するものでは決してありません。ただこれは、「ものさしなしで生きることこそ自分の幸福だ」と決めていることが前提です。

「あなたはどういう人間ですか？」「何がしたいのですか？」「一番大事にしていることはなんですか？」と、突然聞かれて、とっさに答えられる人はなかなかいないでしょう。

つまり、自分のことをよく知らないまま生きている。そのため、大きな判断を求められると、毎回迷ったり、ブレたりしてしまう。せっかく奇跡的にも「人間としてこの時代を楽しく生きる」という権利、人生という宝物を神様から与えられたにもかかわらず、それを最大限楽しみ切れず、無駄にしてしまう可能性があるのです。

現代の社会においては、戦時中や身分制度があった頃と比較すると、大きな制約を受けることなく、大変自由に生きることができます。生き方の選択肢は無数にあるし、何をやってもいい。しかし、自由だからこそ、困ったことも起きてきます。今度は、どのように生きることが幸せなのかがわからなくなる、人生という旅の中で迷子になってしまう人が続出するのです。いっそのこと誰かに生き方を決めてもらったほうが楽だ、とさえ思う人もいるかもしれません。

自分のことがわかっていると、明確な価値観や死生観に沿って、正しい方向に向かってオールを漕《こ》いでいくことができます。生きるという航海を正しく進めるための指針、いわば、「人生のコンパス」を手に入れることができる。コンパスとはすなわち、「人生の軸」ですが、これを持っている人は、あまり迷いません。軸を持っていない人は、いつも何かにつけて迷ってしまい、勢いよく前に突き進むことができません。自分が何に喜びを覚えるのか、何を幸せと思うのか、が明確になってこそ、大きな推進力を持つことができます。

自分を知り、確固たる「人生のコンパス」を手に入れる。そのためのツールとして強い力を発揮するのが、本書で紹介する「メモ」なのです。

メモをとることで人生が変わる、というのは、決して僕が「今回、本にするから」といって誇張した表現ではありません。100%心から、本心で言っています。

情報をアイデアに変える。自分を客観視して、自分を理解する。そして「人生のコンパス」を手に入れる。

メモは、僕たちの可能性を広げ、人生をより良いものにしていくための、この上なく心強い味方なのです。

メモによって夢は現実になる

メモの魔力は、僕らの夢をも、現実のものにしてくれます。

一度きりの人生において「こんなことを実現したい！」「あんなことがしてみたい！」「こうなったらいい！」ということを、ただ心の中で思っているだけでは、ほとんどかないません。いつの間にか気持ちが薄れてしまったり、跡形もなく消えてしまったり……。我々が持つ多くの願望は、その程度のものです。

それを防ぐのが、メモです。そうした夢、願いを紙に書き付けることで、その想いは格段に強くなります。紙に書いたものを、何度も見返すことで、その想いは本物へと成長し、そうして強くなった願いは、心の中にへばり付いて離れなくなります。想いを持ち続けることができるのです。

現代において、僕が「本当に強い」と思う人材は、「想いの強い人」です。志が高い。夢がある。熱意がある。ちょっとウェットではありますが、そういう強力な軸を持ったある種人間的な人こそが、力強く前に進んで、社会に大きな引っかき傷を残すのです。

僕自身まだ夢への道半ばですが、ここまで走って来られたのも、メモの力が大きいと言わざるを得ません。

実は、小学生の頃に両親を失い、ギター弾き語りの路上ライブで生計を立てていたのですが、思い返せば、そのときも「どうすればお客さんが集まるのか」「どうすればリピーターにできるのか」「どうすればお客さんがお金を払ってくれるのか」という仮説を小さなノートにいちいちメモして、いわゆる「ＰＤＣＡ」を繰り返していました。（当然、当時は「仮説」という言葉も知らなければ、「ＰＤＣＡ」という発想もなかったのですが……）

その後も、勉強や就活、社会人になり起業してからも、ずっとメモを相棒にして人生の難問をクリアしてきました。だから、今の僕があるのはメモのおかげだと言っても過言ではないと思います。

メモへの想いが溢《あふ》れてしまったところで、一旦気持ちを落ち着かせて、この本を読もうとしてくださっている皆さんに、本書の流れを簡単にご紹介します。

まず、第一章では、メモの良いところや効用を具体的にお伝えします。その中でも、特に、「メモで日常をアイデアに変える」ということについて、深く考えてみたいと思います。日々の出来事をアイデアに変え、行動につなげるには実際にどうすればいいのか、という話です。

次に、第二章では、「メモで思考を深める」と題し、本書のキーワードでもある「抽象化」についてお話しします。メモからアイデアを生んだり、新しく価値を生み出すために、「抽象化」という武器を装備していただかなくてはなりません。皆さんが本書を読むだけで「抽象化」というツールをすぐに携えることができるように、その三つの型を説明しながら、僕がふだんどんな風に思考しているのかを具体的に説明していきます。

第三章は、「メモで自分を知る」です。どんなにメモを駆使して、アイデアを生み出したり、すごい思考法を身につけたりしても「何をしたいのか」が明確でなければ、それは無用の長物になってしまいます。倒したい魔王がいないのに伝説の剣を手に入れたようなものです。まずは、倒すべき魔王を定義しましょう。つまり、メモを使って自分を知ることで、自分の人生の軸・コンパスを手に入れるのです。そのためにどうすればいいのか？　前田式の「自己分析ノート」の作り方を説明しながら、自分を知るためのノウハウをお教えします。

第四章では、「メモで夢をかなえる」方法についてお話しします。少しスピリチュアルに感じられる方もいるかもしれませんが、僕は、メモや、メモを通じた言語化が夢の実現につながるということが科学的に証明される日も遠くないと本気で思っています。なぜなら、僕自身、人が一見「難しい」と思うような夢を、メモの力によってどんどんかなえてきているからです。夢のリストアップと優先順位付け、ライフチャートなどのフレームワークをご紹介しつつ、ここまでに描いた夢をどのように実現につなげていくのか、その方法論をお伝えします。

最後の第五章では、「メモは生き方である」という僕の哲学を、改めてお伝えしたいと思います。メモは単なる〝ノウハウ〟ではなく〝姿勢〟である、というのが僕の意見であり、スタイルです。メモを毎日の「歯磨き」のように習慣化することで、生き方が変わり、夢が実現していきます。ここでは、具体的な習慣化のノウハウなどもお伝えしながら、メモとともに生きる人生について、お話ししてみたいと思います。

そして巻末には、特別付録として「自己分析1000問」をご用意しました。これは正直、僕が読者だとしても、圧倒されてしまうような凄まじい量の問いの集合体です。

講演会などの機会に皆さんとお話ししていても、「やりたいことがわかりません」という質問が一番多いのですが、毎回、「どうすればやりたいことが見つかるか」という答えを具体的に提示することができませんでした。なぜなら、僕自身、本当に心からやりたいことを見つけるのに、30数冊もノートを書いたからです。2ページにつき1問、平均60ページの大学ノートなら、一冊30問、30冊で900問になります。実際は30数冊ありましたから、ちょうど1000問程度の質問に答えました。その30冊を皆さんに見せることもできないし、どうしたらよいか……と考えたあげく、「同じ質問に答えてもらえばいいんだ」という結論に至りました。

もちろん、1000問すべてに答える必要はありません。

ただ、やりたいことがわからなくなったり、自分の人生に迷うことがあっても、いつでも、ここに戻ってきてほしい。そういった人たちの「迷い」を、すべて受け止めたい。

そんな想いで、「これだけやれば大丈夫だ」という、立ち返る原点になるような100問を一定網羅的に用意してみました。

最初のほうによりクリティカルで本質的な質問を用意していますので、これらに答えることで、きっと多くの人は早い段階で自分の大事な価値観に気づくでしょう。人生のコンパスが見つかり、自分という船の進むべき航路が見えてくるはずです。「自己分析」とありますが、学生の方だけではなく、なんとなく今従事している仕事について違和感があったり、もやもや感があるな、と感じているビジネスパーソンにもぜひ挑戦してもらえたらとても嬉しく思います。きっと、皆さんの人生を変えることができる、という自信があります。

ここまで読んでくださった方は、なんとなく、メモをとりたい気持ちを持ち始めてくださっているのではないでしょうか。その高まる気持ちを、どうかこれから本編にぶつけていってください。そして、その計り知れない本物の魔力を、一緒に手にしていきましょう。

素晴らしきメモの世界へ、ようこそ。

前田裕二

目次

第三章　メモで自分を知る

第四章　メモで夢をかなえる　145

第一章

メモで日常をアイデアに変える

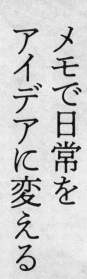

メモを「第2の脳」として活用する

人に指摘されて気づいたのですが、僕は毎日、尋常ではない量のメモをとっています。おそらく、人が1週間、いや、1ヶ月かけてとるメモの量を、平気で1日のうちにとります。

なぜここまで狂ったようにメモをとるのか。それにはいくつか理由がありますが、まず何より大切な理由が、この残酷なまでに時間が限られている人生という旅の中で、「より本質的なことに少しでも多くの時間を割くため」です。

本質とは何かというと、コピーではなく創造、代替可能物ではなく代替不可能物、ということ。つまり、クリエイティブで新たな知的生産につながる思考や、自分にしか思いつかないような代替不可能性の高い思考。これら価値のある本質的思考に1秒でも多く時間を割くために、メモをしているのです。

もちろん、ここまで徹底して時間への意識を高めることは、精神的なカロリーを消費します。が、AIの進化や、それに伴うあらゆるタスクの効率化によって、人間の役割が変わっていくこと、つまり、創造力やオリジナリティが求められる仕事が今後飛躍的に増えていくことは誰が見ても自明です。そんな中で、付加価値の低いことに思考労力を費やしている暇はありません。だから、これからの未来を生きる人類すべてにとってメモが見直されるべきだし、身につけねばならない基本リテラシーになっていくと思います。

「時間を割くべき本質的なこと」について、もう少し、具体例を出して考えてみます。例えば、「過去のミーティングでどんな議論があったか」とか、「そこに誰が何人座っていたか」とか、「打ち合わせの日時はいつだったか」などといった情報自体は決してクリエイティブなものとは言えず、単なる「ファクト（事実）」です。

そのファクトは最初から与えられたものとしてわかっている前提で、では今度は、そこから何が言えるのか、そして、どうアクションするのか。これらを一歩踏み込んで考えることこそが、クリエイティビティです。要は、「過去のファクトを思い出す」という余計なことに思考の時間を割かないために、メモをするわけです。

メモやノートは、記憶をさせる「第2の脳」です。いわば「外付けハードディスク」として、あとで検索できるように書いているのです。言うまでもなく、第1の脳は、創造力を発揮させる自分の脳です。

第2の脳である外部ハードディスクに記憶の部分を頼ることで、空いた自分の脳の容量を、創造力を要することにめいっぱい使う。そのほうがより多く付加価値を生むことができるわけです。第2の脳に蓄積したファクトが、第1の脳で新しいアイデアを生む際の種になることもあるため、気づいたら何でもメモをしておくという意識が、創造力を高めるための第一歩です。

「記録」ではなく「知的生産」のためにメモをとる

メモには、2種類あります。

一つは、「記録のためのメモ」です。情報や事実をそのまま切り取って伝えたり、保存しておくためのメモ。「memo」という単語自体、もともとは、ラテン語の memini が語源で、「記憶している」という意味です。よく見てみると、memory にも、remember にも、mem は入っていますね。記憶に関する英単語には、mem が入っていることが多いことに気づくかと思います。メモランダム、備忘録、つまり、忘れないためにとっておくものがメモ、これが一般認識だと思います。「メモをとりなさい」と学校や職場で言われたりして、まず人が体験するメモが、こちらだからでしょう。ゆえに、一般的にメモと言われたら、記録のための備忘録を想起する方が多いと思います。しかし、僕が今回この本で強調したいのは、メモの底力は完全に別のところにある、ということ。

それが、二つ目のメモ、すなわち、「知的生産のためのメモ」です。メモは、情報伝達ではなく、知的生産に使ってこそ初めて本領が発揮されるということを、これから説明していきます。

「記録のためのメモ」と言いましたが、実際、ファクトをファクトのまま伝えるときに、メモは当然大いに役に立ちます。例えば、子供がお母さんに買い物を頼まれたとき、卵と、牛乳と、納豆と、食パンと……と口頭で言われてもそのすべてを頭では覚えていられないので、紙や、今だったらスマホに、忘れないようにメモしますよね。これは単純な、「記録のためのメモ」です。しかし、この作業は、極論すると、人間がこなすべきタスクではなく、ロボットにでもできます。むしろ、無機質な情報をただ記録するだけですから、コンピュータが最も得意とする領域でしょう。しかし、僕らは人間です。「人間にしかできないこと」に集中するために、メモを活用していってほしいのです。単純に起きたことや見聞きしたことだけを書き写すのではなく、新しいアイデアや付加価値を自ら生み出すことを強く意識して、メモを書き始めてみてください。世界が、全く変わって見えると思います。

僕にとってメモは「生きること」である

学生時代、ある授業に大きな疑問を感じていました。日本史の授業でした。その授業では、先生がご自身でまとめてきたノートを黒板にただ書き写し、そして、生徒はそれを機械的にただひたすら自分のノートに書き写すだけ、というスタイルがとられていました。

もちろん、情報をまとめてわかりやすく伝えることに、価値がないわけではありません。しかし、正直「これは、人間のやるべきことではない」と、生意気にも思ってしまっていたのも事実です。

人間にしかできないこととは、独自の発想やセンス、視点で、アイデアを創出することです。決して、情報をそのまま書き写すなどといった、機械的なオペレーション作業ではありません。そんなことはこれからもう、なるべくなら、機械に任せていきましょう。この本と出会ってくださった読者の皆さんは、どうか、「知的生産」のためにメモを使ってほしい。これこそ、「ＡＩに仕事が奪われる」という言説が得も言われぬ世の不安を煽動《せんどう》する今、僕たちが最も磨くべきスキルです。より希少性が高く、大きな付加価値を生み出せることに、僕ら人間の大切な時間を割いていくべきです。

ビジネスに限らず、僕から生まれ出るほぼすべてのアイデアは、ふだん無意識に通り過ぎてしまいそうなことに目を向けて、逃げずにそれらを「言語化」することで生まれています。その知的生産の過程を、「メモ」と呼んでいるのです。そして、この、人間にしかできない知的生産活動こそが、仕事の真髄であると思います。

よって、この本で述べるような、知的生産を目的にした本質的な方法で「メモをとる」こと自体が、仕事をすることです。そして、仕事に人生を、命をかけている僕にとっては、もはやそれは、生きることでもあるのです。

メモによって鍛えられる5つのスキル

①アイデアを生み出せるようになる（知的生産性の向上）

メモをとると、たくさんの「いいこと」が起きます。これは実際に体感してみないとわからないことなので、本当に、一度騙《だま》されたと思ってメモ帳を手にとってみてください。具体的な方法論については、これから次章以降でじっくり説明していくとして、その前にまず、メモをとると皆さんに何が起きるのかを説明します。何をするにも最初のモチベーション・セッティングが最重要です。大前提となるメモの効用は前述の通り（＝知的生産性が上がる）ですが、それに加えて、メモにはより直接的・具体的なパワーがあります。それらを挙げればきりがないのですが、ここでは、皆さんにとっても強い関連があると考えられる重要な要素を他に四つ、お伝えしたいと思います。

②情報を「素通り」しなくなる（情報獲得の伝導率向上）

僕らは、頭で思っている以上に、怖いくらいに情報を「素通り」しています。会議や会食、講演などの場面で、果たして、どれだけの情報をキャッチできているのでしょうか。

例えば、5分の間に、自分が今知って理解すべき大切な情報を相手が三つ話したとします。しかし、実際はそのうちの一つしかキャッチできておらず、あとの二つは頭の中を全く通《とお》っていない。あるいは通ったとしても、そのまま通り過ぎてしまっていて、両者の会話の前提にはならない。その結果、情報の送り手である話者との認識の齟齬《そご》やすれ違いが起きて、その溝はどんどん深まってしまう。これは、ビジネスの場に限らず、日常にもよくあることだと思います。「今の聞いてた？」と言われた経験、また逆に、「もう一度詳しく説明してもらえますか？」と人にお願いした経験、これらは、誰しもあると思います。

しかし、きちんとメモをとる習慣を身につけると、自分にとって有用な情報をキャッチするための「アンテナの本数」が増えます。常にアンテナがバリ5の状態を維持しておくと、いつ何時でも、知的生産において前提となる重要な情報を漏らさずにキャッチすることができる。メモをとる癖がない人は、実は、毎日「宝」をみすみす落とし続けてしまっているようなものだと僕は思っています。日常のふとした瞬間にこそ、宝が眠っているのですから、それに気づけて拾い上げられる強力なアンテナを持つべきです。

では、メモは果たして、どれくらいとればいいのか。結論から感覚値で述べると、「すごくたくさん」です。その「たくさん」のレベル感を具体的に提示するならば、極端ですが、最初は「聞いたことをすべて書きとる」という勢いでやったほうがいいと思っています。テープ起こしや速記のレベルとまでは言いませんが、少なくとも要素はすべて網羅するくらい、超集中して、ゾーンに入って、メモをとるのです。

また、最初は、「どれくらいメモするか」「どのようにメモするか」というHOW論よりも、「すべてメモしてやる!」というモードでとり切ることのほうが大切です。

今、相手が100の情報を出してくれたとします。ここで、全くの無意識下だと、受け取れるのはせいぜいそのうちの30~40になってしまうでしょう。しかし、きちんと「メモをとるぞ」と意識して、繰り返し訓練することで、60、70、80と、情報獲得の伝導率は確実に上がっていきます。量が質を生むというのは、いつの時代も、どのジャンルにおいても、大体の場合において誰も覆すことのできない真理です。

③相手の「より深い話」を聞き出せる(傾聴能力の向上)

紙のメモは、コミュニケーションツールとしても極めて優秀です。

少し想像してみてほしいのですが、例えば今、クライアントと会食の最中だとします。話が盛り上がってきたところで、相手がすかさずカバンからメモ帳を取り出して「ちょっとこの点、もう一歩踏み込んで説明していいですか」と書き始めたとします。僕たちは、どう思うでしょうか。PCやスマホで「ありもの」の資料を見せられるよりも、なんとなく、心が近づく感じや、熱、ポジティブな空気が漂う感覚があると思います。純粋に、紙に描いた概念図のほうが見やすくてわかりやすい、という、ハード面、機能面の理由もありますが、僕は、もう少しウェットな、ソフト面の理由が大きいと思っています。熱意を伝えたいのなら、紙がベストです。相手に伝えたい「想い」の部分が、ストレートに心に届くからです。

普段、ＴＯＫＹＯ ＦＭ『ＳＨＯＷＲＯＯＭ主義』というラジオ番組でパーソナリティーをしていますが、そこでは、インプットしたことや、それを受けて考えたこと（でもまだ口には出さないこと）などを、自分自身しゃべりながら、ひたすら台本やノートにメモしていきます。番組に来てくださったあるゲストの方が、ノートにメモしながら話をしている僕を見て「嬉しい、すごく気持ちがいい！」と言ってくれたこともありました。そして「こんなこと、今まであまり話したことないんだけど……」と、真剣に、深い話をし始めてくれたのです。

おそらく、実際に話を聞く真剣さの度合いが全く同じだったとしても、メモをとるかとらないかで、相手の受ける印象が異なる、ということなのでしょう。感情には返報性、すなわち「跳ね返り」がありますから、メモをとることによってこちらから特別な敬意を示せば、相手も自分に対して、特別な敬意を抱いてくれるようになる。「あなたの話から、一つでも多くのことを吸収したい」という姿勢が可視化されて、より実りのある会話になっていきます。

④話の骨組みがわかるようになる（構造化能力の向上）

次の効用は、「構造化能力」です。メモをとることで、その場で展開されている議論を綺麗に構造化できるようになります。逆に言うと、しっかりとメモをとるには、構造化は必要条件であり、上手にメモがとれるようになってきたなら、それは、構造化がうまくなってきている証拠です。

構造化能力とは、議論の全体像が常に俯瞰《ふかん》で見られて、今どの話題を、どんな目的で（何に向かって）、どこまで話しているのか、ということを（なるべく瞬時に）把握する力です。皆さんが慣れ親しんでいるであろうPCでたとえるなら、脳内にまず大きな親フォルダを作って、どの情報がどの子フォルダに入るのかを丁寧に仕分けていくようなイメージです。フォルダが多重構造を取り得るように、議論のテーマも抽象度によっていくつかのレイヤーに分かれます。正しくメモをとるには、今、どのレイヤーの話をしているのか、「粒度」を常に認識しておかねばなりません。これをロジックツリーという樹形図で表現することもありますが、今回は便宜上、フォルダと呼ぶことにします。

例えば、「天気」というフォルダの中には、晴れや曇り、雨、雪などの子フォルダが入ります。今、「天気にはどんな種類があるか?」という議論をしているなら、子フォルダの並列で横並びになる要素を探す議論が行われます。一方で、「雪」について議論を深めるのであれば、一旦、他の要素は置いておいて、みぞれなのかひょうなのか、雪の種類を深掘りしていくでしょう。会議をしていると、雪フォルダの議論をしているのに、急に雨フォルダの議論を繰り出してくる人がいるかもしれません。メモがうまくとれる人は、全体の構図が見えているので、すぐに「別フォルダの話をしている」ことに気づきます。簡単な例として天気を挙げましたが、より現実的なビジネス世界を想定すると、例えば、「売上」という親フォルダを考えてみます。売上フォルダの中には、客数や単価、回転率という、売上を構成する子フォルダが入っているでしょう。客数フォルダを充実させていきたいのか、あるいは単価フォルダを伸ばしていきたいのか。今、どのフォルダの課題を解決しようとしているのか。発言者それぞれが俯瞰で全体の構造を把握していないと、議論は混迷を極めるでしょう。メモをとるためには、「何をどこに書けばいいのか」ということを必然的に考えねばなりません。よって、メモを通じて、「今、どこの話をしているのか」という構造化能力が自然と引き上げられます。

構造化に際して注意すべきことは、多くの場合、話し手側も必ずしも十分に構造化した上で話をしていない、ということ。話している本人すら構造化できていないことを、聞き手である皆さんがメモをとりながら再構築する癖をつけると、さらに建設的な議論を導けるようになります。メモをとりながら、何の議論がどのフォルダに入るのか、全体構造を整理して伝えてみてください。次第に慣れてきたなら、話している本人すら言語化できていない「フォルダ」を新たに指摘して、伝えてもよいでしょう。きっと、話している側にも、多くの気づきを与えることができます。この一連の過程を見ると、メモをとるという作業は、いわば著者と伴走して本を作る「編集者」のそれに近いのかもしれません。

「情報を100％受け取る」という目的のためだけであれば、ボイスレコーダーに録《と》って文字起こしをすればいいでしょう。しかし、僕らが目指すのはそこではありません。

その場で情報を構造化し、その情報が入るべき「フォルダ」を明確にしてあげることで、話し手の頭がクリアになり、話はさらに深まります。三点目に述べた「より深い話を引き出せる」という観点とも紐付きますが、構造化の過程で、本来は相手から出なかった情報も引き出せることが多々あります。こうして、より密度が濃く、付加価値の大きいコミュニケーションが成立するのです。

⑤曖昧な感覚や概念を言葉にできるようになる（言語化能力の向上）

メモをとるということは、同時に、「言葉にせねばならぬ」ということを意味します。極めて当たり前ですが、メモをとるためには、頭の中でぼんやりと思っていることを、ノートの上なり、スマホの中なりに、「言葉にして」、アウトプットせねばなりません。メモを癖にしてしまえば、言葉にすることから逃げられなくなります。いわば、自家発電的に「言語化の強制力」を一人でも作り出すことができるのが、メモの力なのです。言語化能力を磨くことによって、説明能力も同時に身についていきます。

生活している中で、「すごい」や「やばい」といった簡単な形容詞で片付けてしまったり、通り過ぎてしまったりしている感動は、数え切れないほどあると思います。果たして、何がすごくて、やばいのか。ここを一歩二歩、踏み込んで考えるのが本質的なメモのあり方です（※この過程で「抽象化」という思考作業を行いますが、この説明は次章に譲ります）。

例えば今、この本の原稿を書いていると、ハロウィンの盛り上がりによってトラブル多発、果ては逮捕者が出る事態に、というニュースが飛び込んできました。ここで、この事象を受けた自分の所感を、「やばいね」で片付けることはとても簡単です。でも、実際、何がやばいのか。単純に、街に暴徒が現れたという恐怖に対して「やばい」と言っているのか。はたまた、ルールやマナーを守らない輩《やから》がいるという現実に対して「やばい」と言っているのか。あるいは、ハロウィンという、元来は平和に仮装して仲間うちや地域で比較的プライベートに楽しむための家庭的なイベントが、よりpublicなお祭りとして影響力を持ち始めている社会情勢に対する「やばい」なのか。もともとハロウィンのタイミングでトラブルが起こることは例年よくある話であってある程度は仕方ないが、昨年に比べてもマナーが悪化しているという時系列の変化を指して「やばい」と言っているのか。トラブルの中身が暴行や痴漢などといった悪質な方向に向かっているという、質自体の変化が「やばい」のか……。きりがないのでやめますが、このように、言語化の過程で、思考はどんどん深くなります。思考こそ、言語をもたらす燃料です。つまり、思考→言語→メモ。言語化能力向上という目的に立ったときに、メモという「思考と言語化のきっかけ」を提供する、身近ながら最強のツールを使わない手はありません。

こう考えていくと、人の成長という観点において、本当にメモは偉大です。

①知的生産性が増す。
②情報獲得の伝導率が増す。
③傾聴能力が増す。
④構造化能力が増す。
⑤言語化能力が増す。

本書冒頭でお伝えした通り、メモをとることで、まず何よりも、①知的生産性が増します。余分な情報はストックしておいて、自分の頭を有益な情報を生み出すことのために使うことができます。

次に、情報を素通りしなくなるので、日々見聞きするすべての情報を分母にしたときに、そこからどれだけの情報をものにするかという、②情報獲得の伝導率が増します。

そして、相手から一つでも多くの有益な情報を引き出すための③傾聴能力、コミュニケーションスキルの向上にもつながります。

さらには、メモによって、頭の整理ができます。その結果、④構造化能力や、ロジックの力を飛躍的に伸ばすことになります。

最後に、メモは、思考を深める機会を提供します。それによって、言葉を紡ぐ力、すなわち⑤言語化能力が引き上げられます。

たかがメモ、されどメモ。メモをとることは、シンプルながらも、大変に奥深いということが伝わったでしょうか。メモは、僕らを全く見たことのない世界に連れて行ってくれる可能性さえ秘めた、魔法のようなアクションなのです。

アイデアを生み出すメモの書き方

ここまではメモが持つ効用を一通り見てきましたが、ここからは、具体的なメモの書き方をお伝えしていきたいと思います。ここで、最初に強調しておきたい大切な価値観があります。それは、「メモは姿勢である」、ということです。

僕は、この本を通じて「ノウハウ」を伝えたいわけでは断じてありません。もちろん、ここで伝えるフォーマットをそのままコピーすれば、皆さんの言語化能力や説明能力は、想像を絶するほど飛躍的に伸びるでしょう。しかし、それ以上に本質的で重要なことは、もっと根底にある姿勢の部分です。何らかの目的を持って、日々、あらゆる情報に対して、毛穴むき出し状態でいられるかどうか。身の周りのあらゆる情報にアンテナを張り、そこから何らかの知的生産を行う意識を持てているかどうか。この、弛《たゆ》まぬ知的好奇心と、知的創造に対する貪欲なスタンスこそが、メモ魔として最も大切にすべき基本姿勢であり、この本に出会ってくださった皆さんにフォーマット以上に身につけてほしい素養です。

前置きが長くなりましたが、まずは僕が実際に使っている方法論を皆さんにご紹介します。これを真似《まね》るところから、始めてみてください。

ノートは見開きで使う

ノートは原則、「見開き」で使います。

これには、主に二つの理由があります。第一に、そもそも書き込む場所が狭いと思考が窮屈になるので、できる限り広くスペースをとる、という意図です。第二に、この方法でメモを書き始めると、「まず右側が空く」という狙いもあります。ノートを眺めていて右側が空いていることが気になり始めたら、それは良い兆候です。人の脳は、空欄を見ると「埋めなくてはならない」という強力な潜在意識を持つので、ある種の矯正ベルトのように、フォーマットの継続によってどんどん思考が（特に右脳が）活性化していくと思います。

詳しくは44〜45ページを参考にしていただければと思いますが、左側に横線と縦線を一本ずつ、右側には縦線を一本、なるべく真っ直ぐ引きます。理想は、定規や下敷きなどを使って綺麗に引くことですが、これにこだわると疲れてしまうので、僕自身はフリーハンドでできるだけ真っ直ぐの線を引く、という事が多いです。

※ちなみに、僕自身、この線を引く作業だけ、ずっと面倒でした。この非効率を解決したい、何とかならないかな……と考えた結果、自分で、『メモの魔力』仕様のオリジナルメモ帳を作ることにしました。２０１９年中に発売予定なので、良ければ手にとってください！

さて、実際の使い方に入っていきます。まずは左側のページから、具体的な使い方を説明します。左側のページに書くのは、「ファクト」。つまり、どこかで見聞きした、客観的な事実を書きます。ミーティングであれば、そこで交わされた会話の内容を掻い摘んで書きますし、仕事以外の場面でも、何か自分の琴線に触れたものがあれば、その現象自体が「ファクト」なので、左側のページにまず書き記しておきます。

細かいテクニックですが、キーワードを書いたら、それに丸をして、関連ワードを周りに書いていくのもお勧めです。中心となるキーワードから枝を広げるように思いつくことを書いていくのですが、こうすると単に箇条書きにするよりも、発想が自由に広がりやすく、思考の整理もしやすくなります。あとで見たときも、文章というより、一つの「絵」として捉えられるので、より記憶にも残りやすくなります。これは、マインドマップを簡易的に応用して、僕自身がずっと使っているメモの書き方です。試してみてください。

次に、構造化、そして言語化の力をより伸ばしたいのであれば、左のページの5分の1くらいのところに縦線を引いて、「標語」のための列を作ってあげると良いでしょう。ファクト欄に書いたことをグルーピングして、「要は何の話か」というエッセンスをまとめて一言で表現してみたり、そこにレトリックを効かせてキャッチーなネーミングをしたりしていきます。慣れるまでは、ミーティング後など見返すタイミングで良いのですが、次第に熟練してくると、ファクトメモをとりながら、リアルタイムで同時に標語もつけられるようになっていきます。それほどの構造化能力と、言語化能力が身につく、ということです。

次に、右側のページに移ります。通常のノートの常識に則れば、おそらく、右側も左側と同様に、単にファクトを連ねていくためのスペースとして使われることでしょう。その感覚が染み付いてしまっている人は、最初、右側を空けておくのが、少しもったいない感じがすると思います。それでも、心を鬼にして、右側を空欄にしてください。

果たして、この空いた右側のスペースに、何を書くのか。この、右ページに移ってからが、この本で提唱している知的生産メモの最重要箇所であり、クリエイティビティが最も発揮される部分です（ここでも改めてお伝えしますが、左脳→ファクト、右脳→クリエイティビティというように、脳の構造に沿ったレイアウトをとることで、アイデアを生みやすくさせています。よほど「自分に合わないな」と感じない限りにおいては、見開きでの使用がお勧めです）。ファクトから発展した、より深く知的創造につながるような事柄を、右ページに書いていくのです。

右ページは、半分に分けて使います。まず、左側から説明します。

左側は、「抽象化」した要素を書きます。左ページの「ファクト」を見つめて、そこで書かれている具体的な内容を「抽象化」します（※抽象化については次章を参照）。左ページに書いた内容から、抽象化すべき要素を見つけたら、そこから適宜右ページに矢印を引っぱって、対応する抽象命題を書いていきます。

そこで終わりではありません。次に、抽象化した気づきを別の何かに適用して実際に行動を変えるため、右ページの右側には、「転用」の要素を書いていくのです。「○○という真理・命題を受けて、これをこう変えてみよう」という、実際のアクションにつながる粒度まで落として書くことが重要です。

メモをする上で、この、「転用」という段階にまでたどり着くことは、強調してもし足りないほどに重要です。単にメモを書くに留まらず気づきを抽象化することは必須ですが、抽象化で止まってしまうと、時に単なる「評論家」になってしまいます。自分が

抽象化　　　　転用

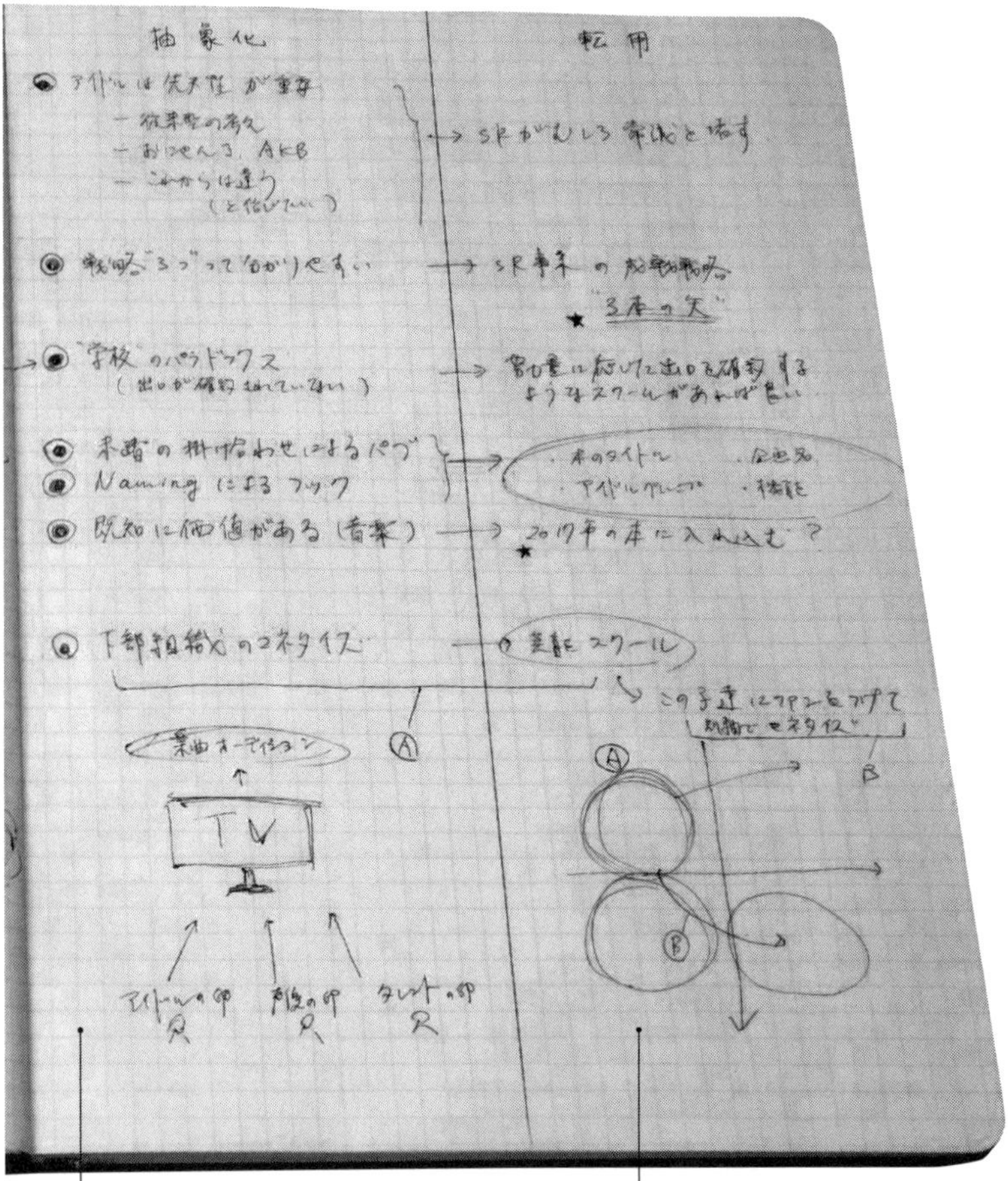

青＝やや重要・引用

赤＝重要・客観

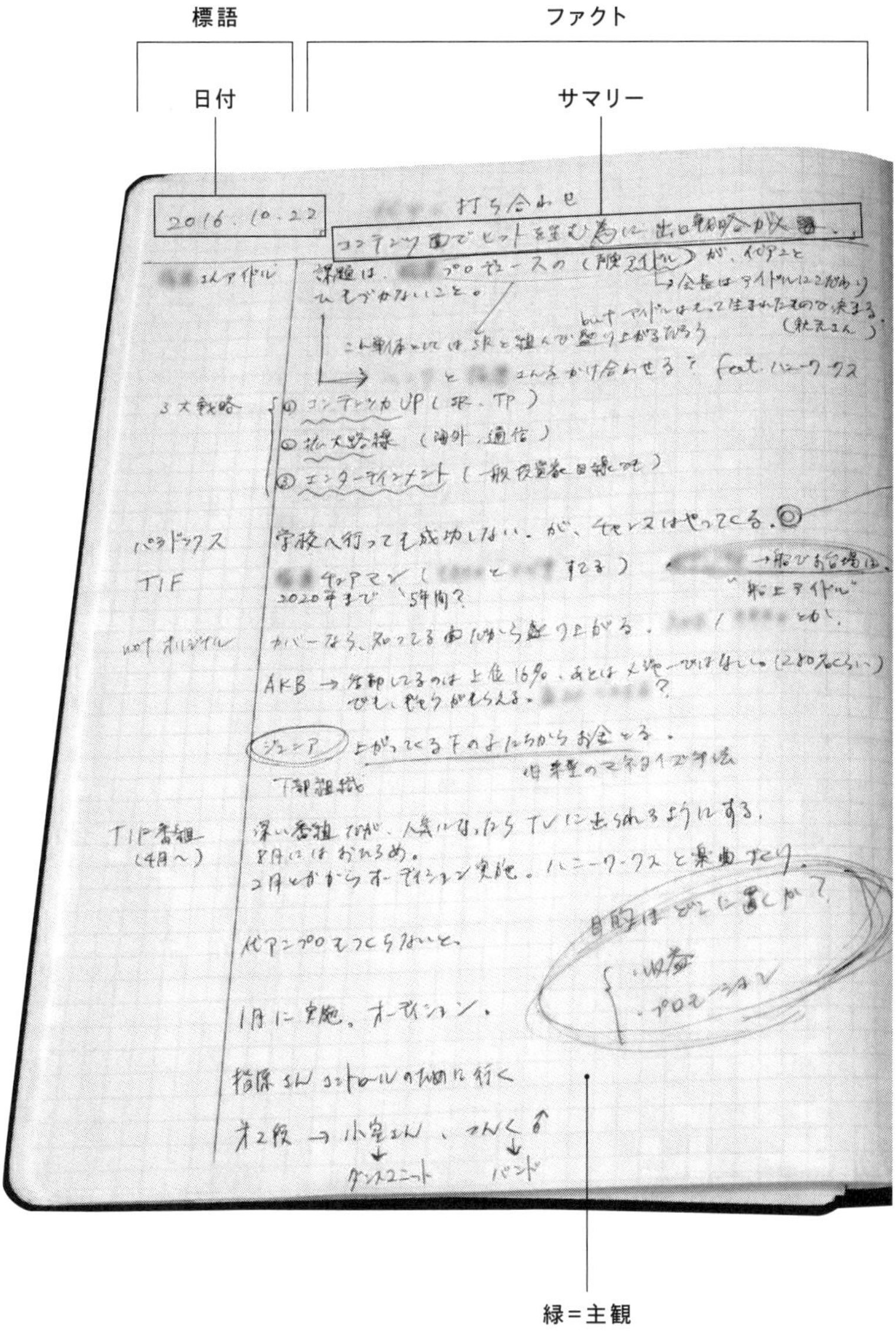
標語
ファクト
日付
サマリー
緑＝主観

世界を抽出した気づきから、きちんとアクションに「転用」することを通じて、自分の日々が、人生が、変わっていきます。本当に人生を変えたいと願うのであれば、ノートの一番右側も忘れずに、なるべく意識的に埋めていくようにしましょう。

ここまでにお伝えした、「ファクト→抽象化→転用」という一連の流れ。これが、知的生産メモにおける最大のポイントです。

「ファクト→抽象化→転用」という最強のフレームワーク

ここが最重要ポイントなので、繰り返します。僕のメモ術のエッセンスは、シンプルに3点です。

①インプットした「ファクト」をもとに、
②気づきを応用可能な粒度に「抽象化」し、
③自らのアクションに「転用」する。

この三つに尽きます。
もう少し詳しくお話ししましょう。

日常すべてをアイデアに変える

ここからは、「ファクト→抽象化→転用」というフォーマットを使って、実際にどうやって世界と向き合い、知的生産につながるメモをとっていくのか、具体的な事例を交えてお話しします。ちなみに、僕が提示するメモのとり方を信じて実践してもらう過程で、「抽象化」という脳の使い方をしていただくことになります。これは、メモをとる上で、いや、人生をより良く生きる上で、他の何にも勝る、最も重要な思考法だと本気で僕は考えています。その詳しい手法は、次章で改めて整理していきます。

さて、具体的なメモの事例に入っていきます。一つ、最近僕がメモをとったことを紹介します。

ある打ち合わせで、「東京・大阪それぞれの街中で、宣伝用のチラシを配布した」というプロモーション事例の話を聞きました。普通にチラシを配っても、通行人側に何らかのメリットが提示できない限り、受け取ってもらえない。であれば、何かインセンティブになるような餌をチラシにつけるべきだ。ここまでは、想像可能な範囲内の展開です。

ここから、話がだんだんと核心に迫っていきます。メモをとる僕の手は自然と疼《うず》いて、汗ばんできます。担当者の方は続けます。

「『大阪のおばちゃんは、なんでもないときにも、よくアメちゃんをくれる』という話があるじゃないですか。そこに着想を得て、大阪でチラシ配りをするときに、チラシと一緒にアメちゃんを配る作戦に出たんです。そうしたら、ものすごい勢いでチラシがはけて、驚きました」

なるほど。面白い。確かに、ちゃんとわかりやすいメリットをつけると、結果が変わってくるんだな。そう思って感心している僕の頷《うなず》きを確認しながら、担当者は続けます。

「これに味をしめた僕たちは、同じやり方を東京で試したんです。そうしたら、東京ではなんと、大阪のせいぜい3分の1程度の効果しかありませんでした。つまり、アメちゃんをつけると、大阪では東京の3倍チラシがはけるのです（笑）」

どうでしょう。皆さんなら、何を思いますか。ここを「素通りしない」感覚がとても重要なのです。

通常のメモであれば、ここまでに聞いた「ファクト」を書くだけで終わりでしょう。つまり、例えば、「大阪でチラシと一緒にアメちゃんを配ったら、東京の3倍の効果があった」と、メモに書いておくわけです。もちろん、備忘のためにも、事後に発想を広げるためのフックとして使う意味でも、メモをすること自体は決して悪いことではありません。しかし、このレベルの単なるファクトメモでは、その情報は未来においておそらく大して活《い》かされることなく、忘れ去られていくでしょう。本当のメモの真価は、ここから発揮されます。

まずは、ノートの左ページに「大阪でチラシと一緒にアメちゃんを配ったら、東京の3倍の効果があった」と書いてみます。そして、僕がこの本で皆さんにお伝えしたい本質的なメモの方法はここから。つまり、ノートの右ページ部分がより大きな価値をもたらします。

「ファクト」を書いた左ページから、今度は右ページに目を移します。そして、こう考えるのです。「ここで書いた具体的な情報を受けて、何か言えることはないか。そこに気づきはないか。他に応用可能な法則はないか」。こうした思考作業を僕は、「抽象化」と呼んでいますが、自分が見聞きしてインプットしたファクトを、右ページでより一般的な概念に抽象化することが、ファクトを書いたあとのステップです。慣れないうちは、まずはファクトを書き切るところから始めてみてください。次第に慣れてきたら、ファクトを書きながら、同時に右ページに移って、リアルタイムで抽象化もできるようになってくると思います。ここまで来ると、かなり脳が活性化した状態でメモがとれるようになっています。

「抽象化」と「転用」でさらに思考を深める

さて、「大阪でチラシと一緒にアメちゃんを配ったら、東京の3倍の効果があった」というファクトを抽象化すると、何が言えるでしょうか。抽象化というと難しいかもしれませんが、「他の分野にも応用可能な気づきを得よう」、というつもりで考えると、綺麗に具体から抽象度の高い命題を抽出することができるようになります。

例えば、まず、「大阪人は東京人よりも、直接的で目に見えるメリットの訴求に弱い」という一つの気づきを得たとします。この気づきは、先ほどの「大阪でチラシと一緒にアメちゃんを配ったら、東京の3倍の効果があった」というファクトと比べて、より他分野への応用可能性が高い概念であることがわかるかと思います。

我々のメモは、ここで止まりません。抽象化のその先へ、さらに思考を進めていきます。抽象化して得た気づきをもとに、アクションを立てるのです。「転用」のプロセスです。

「……なるほど、それであれば、僕が運営しているSHOWROOMにおいても、大阪人のそんな気質が反映されているのではないか?」。例えばまず、こういった仮説を立ててみます。ノートの中では、右ページの右側に移って、「SHOWROOMでも同じことが言えないか、地域別の利用動向データを調べてみる」と書きます。

SHOWROOMは、簡単に言えば、インターネット世界で再現された、路上パフォーマンスの場です。感動を受けたユーザーは、仮想ライブ空間上でバーチャルギフトを投げ込み、場の盛り上がりに参加できます。ギフティングアイテムの中には有料のもののもありますから、地域別に、ユーザーのお金の使い方が違うかどうかを検証するには、持ってこいの生情報がとれそう、と思い、調査をしてみます。

実際にデータを分析してみると、大阪のユーザーの課金単価が、東京に比べると少し低い傾向にあるということがわかりました。当然これは時期によって変わり得ますし、他の諸条件がもたらす影響を排除し切れてはいないので、必ずしも真であるとは言えませんが、あくまでこのタイミングでの傾向値を読み取るには十分なデータサンプル量であると判断しました。

「大阪のユーザーの課金単価が、東京に比べると少し低い傾向にある」という、新たに得た情報をもとに、また思考を深めていきます。新しいファクトとしてまた左側に戻っても良いですし、そのまま転用の欄に書き続けても良いでしょう。

ＳＨＯＷＲＯＯＭのギフティングという仕組みは、バーチャル空間上にギフティングアイテムを投げ込むというギミックを使っているため、直接的・物理的・現実的なメリットが一般的には見えにくいかもしれない。前に抽象化した「大阪人は東京人よりも、直接的で目に見えるメリットの訴求に弱い」というルールが適用されるのであれば、大阪人としてはより一層、そんな場ではお金を使う気にはならないのではないか。そんな仮説が導き出されました。

この仮説をベースに、さらに思考を発展させます。

「大阪人がお金を使わない」というわけではなく、「大阪人がケチだ」という話でもなく、実際、人気芸人のステージはなかなかチケットが手に入らない状況が続いているし、吉本新喜劇やお笑い文化は他のどの地域よりも大きな盛り上がりを見せている。つまり、「面白い、価値がある、と目に見えてわかっているものにお金を出すのは厭わない」という側面もあるのが大阪人であろう。であれば、「大阪人にとって、価値を感じるものと感じないものが、明確に分かれているだけ」ではないのか。また、目に見えて価値を感じてもらう工夫をすることが、東京以上に重要なのではないか。

そこから、まず転用しようと思いついたアイデアが、「バーチャル劇場公演」と、「ライブコマース」です。

前者は、「大阪人も納得するような面白いコンテンツを用意して、それに対して前払い式で対価を払うような、現実世界のチケット課金制のようなビジネススキームを用意すればいいのでは」という施策案です。ここから、さらに施策の具体性を上げていき、「需要が多くリアルの場では客席が溢れてしまって入り切れない芸人のネタを、プレミアムコンテンツとしてSHOWROOMで配信する」というアクションに転用する。チケットがとれないような芸人であれば、当然、「面白い」ことが目に見えているわけですから、価値があるものにのみ選別的にお金を払う大阪の方々も、きっと購入してくれるだろう。そして、「バーチャル」と謳っているくらいなので、一歩サービスを進化させて、ＶＲ空間上で劇場を作って、そこでチケット代をとっても良いかもしれない。ＶＲ空間上に、収容できる客数・キャパシティが無限大のコンサートホールが作れれば、こぞって多くの芸人がここでもライブを行うようになり、そこにファンも集って、収益化の好循環が回り始めるだろう。ここまで思考を発展させていけば、一つのビジネスモデル案として十分成立します。

他にも、ライブコマースの案も、「目に見える対価」という抽象的テーマを転用したアイデアです。東京以上に、目に見える何らかの直接的な見返りがないとお金を払わないのであれば、形のないギフトアイテムを購入してもらうのではなく、しっかり形のある、何らかの商品を生配信で紹介する番組を作ろう。リアルタイムに演者から購入できる番組を大阪向けに実施して、本当に良い商品を価値ある値段で売れれば、もしかしたら、東京よりも結果が出るかもしれない。こんなアイデアも、新しく考えられました。

思い出していただきたいのですが、最初は、単なる「大阪でアメちゃん付きチラシをたくさん配った話」でした。それが、こうして、大きな可能性を秘めた、二つの新しいビジネスモデルアイデアにつながったのです。この思考の過程を最初から最後まで補助してくれるのが、僕が提案する前田式のメモです。何だか、不思議な魔力を感じませんか？

「SHOWROOM」もメモから生まれた

そもそも、僕らが作っている「SHOWROOM」というビジネスも、この「ファクト→抽象化→転用」フォーマットによるアイデア創出の影響を大いに受けています。

もともと僕は、幼くして両親を亡くしたこともあり、生計を立てる一つの手段として、小学生の頃から駅前でギターの弾き語りをしていました。思い返せばそのときも、お気に入りのコード進行や、お客さんの動きの中で気づいたことを書き記すメモ帳を持っていました。

◎ファクト

・カバー曲を歌うと、オリジナル曲のときよりも立ち止まってもらえる。
・立ち止まってもらった人のリクエストに応えると、ぐっと仲良くなる。
・そうして仲良くなったあとにオリジナル曲を歌うと、もっとお金がもらえる。

◉抽象化

・仲良くなるには、双方向性が大事。
・人は「うまい歌」ではなく、「絆《きずな》」にお金を払う。

★転用

・双方向性があり、絆が生まれる仕組みをネット上に作る。
※それによって、アーティストが自分の力で（リアルよりも効率的に）ファンを増やし、お金を稼ぐことができるようになる。

当時のメモは、「リクエストに応えるとファンが増える！」→「歌のうまさにこだわらない」など、かなりシンプルなものでしたが、目の当たりにしたファクトと、そこからの気づきは逐一メモ帳に書き記していました。

こんな風にして、自らの原体験をベースに立ち上げた事業が、SHOWROOMです。事業を立ち上げたあと、自分たちの理念、ビジョンを確固たるものにする上でも、やはりメモが役に立ちました。一つ、事例を紹介します。

秋元康さんとの打ち合わせでは毎回、自分が特に興味深いと思うポイントを見つけて、猛烈にメモをとっています。その中でも特に一つ、秋元さんが語ってくださったエピソードが印象的でした。

昔、ＡＫＢ48のある超人気メンバーが、足をケガしたときに、スタッフが「どうしよう、これではライブが成立しない」と困惑していました。秋元さんは、「それなら、座って歌を歌ったらどうだろう」と提案されました。みんなが踊っている中で一人だけ、椅子に座って歌っていた。その姿がとても印象的で、ファンはさらに熱狂した。あの子は、やっぱり「もっている」よね、と、話題になったと言います。

他にも、ＳＫＥ48の松井珠理奈さんがオーディションを受けたとき（当時11歳だったそうです）、ラストからいくつか前の順番だったのですが、彼女のときだけなぜか急に、歌唱審査用のカラオケが動かなくなるというトラブルが起きました。それを受けて、松井さんは、最後の順番に回されました。もともと生まれ持ったスター性が、「彼女にのみ起こったトラブル」や、「ラストに歌う演出」に掛け合わさったことで、秋元康さんを含む審査員一同の印象に強く残り、トップ合格したそうです。

これら二つの事例に共通することは何か。これも抽象化の一種ですが、要は、アイドルとして売れるためには、「もっている」必要がある、ということ。もっと言うと、「従来のエンタメ市場において人気アイドルになる方は、生まれながらに何か強い運を持ち合わせている」ということが言える。そうした星のもとに生まれた方が、後天的な努力も相俟《あいま》って大スターになっていくこと自体は、非常に尊いことだと思います。

が、僕はここで、さらに思考を進めました。抽象化してから、アクションに転用するまでに、いかに深く考えていくかが勝負です。「アイドルは運が良くなくてはならない」という抽象的な気づきを得た僕が次に考えたことは、むしろ、先天的に「もっている」人しか勝てない世界で本当にいいのか？　ということ。

生まれつきの星がなくても、後天的に努力をすれば、生まれ持った逆境なんて跳ね返せる、そういう世界が見たいんじゃないのか？

転用を試みたときに、直感的にまずそう思いました。

従来のアイドル市場では、やはり生まれ持った運の要素が成功に大きな影響を与えている。でも自分は、そうした先天的な要因のみではなく、後天的な努力こそが報われる場所があるべきだと思った。ＳＨＯＷＲＯＯＭのビジョンは、スターのあり方、スターへの道のり自体を変える、すなわち、「スターの再定義」だ、と。この考えを改めて強く固めて、ビジョンとしてチームや世の中に浸透させていこうと、アクションに「転用」したのです。

「ファクト」を書きっぱなしにしておいては、そこからは何も生まれません。必ず一度自分で書いた――少なからず「興味深い」と感じて、世界から自分が切り取った――ファクトをどこかで振り返ってそこからの気づきを「抽象化」する。そして、アクションに「転用」する。シンプルですが、メモというフォーマットを通じてこのプロセスを自分の手に、そして脳に染み込ませることが、知的生産性を上げる上で非常に役に立ちます。この魔力をひとたび身につけると、不思議なほど世界が違った場所に見えてくるでしょう。

「日付」「サマリー」「標語」を書く

ここまでは、知的生産メモのエッセンス、重要な思考フローをお伝えしてきましたが、ここからは実際のメモのとり方について、より細かなポイントもカバーしながらお伝えしていきたいと思います。再度、44〜45ページを見てください。

まず、一番初めにする、特に頭を使わない部分です。左ページには、まず左上に日付を書きます。いつ書いたのか、という時間情報は、あとで振り返ったときにとても重要なので、書くのを癖にしてしまうとよいと思います。

そして次に、何をアジェンダに話し合う打ち合わせなのか、を一言で書きます。思いつかないときは、○○と✖✖に関する打ち合わせ、と書いておけばOKです。

その下には、「サマリー欄」を作っておきます。これは、打ち合わせが終わった瞬間や、帰りの移動時間など記憶が新鮮なうちに、さっと書いてしまいたいものです。「ヒットを生むために出口戦略が必要」など、一言で、「要は何が一番大切なのか」という、その打ち合わせの心臓部分だけを抜き出して、あとで見返してパッとそのときの感覚が思い出せるような言葉で書いておきます。

ボディに入っていきます。中身には、打ち合わせや授業などで見聞きしたことの中から自分のアンテナに引っかかってきた「ファクト」を書いていきます。それほど頭を使わず、「へー!」と思うことや、これはなんとなくメモしておきたい、と自分の脳が命令を飛ばしてくるような話を、基本的には聞いたまま書きます。

そして、左ページの左側には縦に一本線を引いておき、「ファクト」欄に書いたことについて、標語やキーワードをつけていきます。「一言で言うと何か」、ということです。

例えば、話を聞きながら、ここからここまでは「販路拡大に向けた三大戦略」の話、ここからは「アイドルのパラドックス」、これより下は「オリジナルVSコピー」といったように、ファクト欄に書いた内容それぞれをグルーピングしていきます。この訓練によって、議論の構造（階層・レイヤー）をつかむ技術が間違いなく上達します。このレイヤーに何という名前をつけるか、と、それぞれの階層に真剣にキーワードをつけてあげることで、標語をつける言語化能力も磨かれていきます。

多くの打ち合わせでは議論がどんどん発展します。それを聞き理解しながら書くので、打ち合わせ中に完璧なキーワードを思いつけないことも多いのですが、それでも構いません。とにかく、話を聞きながら全体像をつかむ姿勢、「今、全体の中で一体どこの部分の話をしているんだろう」という、混沌《こんとん》とした議論を構造化する姿勢が重要なのです。少し慣れてきたなら、逆に「リアルタイムで構造化して標語をつけなくては」という強制力を自分に働かせることによって、その場の話をより高い精度で理解できるようになっていきます。

4色ボールペンによる「色分け」で判断能力を上げる

メモを書くときにはできるだけ、「4色ボールペン」を使うようにしています。その際、「黒」「緑」「青」「赤」という4色それぞれに、意味を持たせています。

色分けの軸としては、「主観or客観」と、「重要度」の二つがあります。

ファクトに対して自分が思ったこと、つまり主観的な発想は、緑色で書きます。ファクトを書きながら同時に緑色で主観を書き込む癖をつけると、自分の意見をスピーディーに構築・発信する力が急速に増します。だんだんと、メモを俯瞰したときに緑色が少ないとちょっと気持ち悪いくらいの感覚にすらなってきます。そうなったら、強いです。

そして、緑以外の3色は、客観です。

黒はふだん使いの色で、ファクトを書きます。

青と赤は「重要度」で使い分けます。青は「やや重要なこと・引用、参照」、赤は「最重要なこと」です。

ポイントは「緊急度」ではなく「重要度」で色分けすることです。「緊急度」は自分の判断に関係なく、外部要因で勝手に決まってしまう場合が多い。つまり、緊急度は自分で決める性質のものではなく、問答無用で、緊急なものは、緊急なのです。

一方で、重要度の判断は、人や組織によって異なります。「これは重要だ」「これはさして重要ではない」、こうした重要度の判断は、得てして個人の主観に寄りがちです。しかし、重要度の判断が、ふわっとした主観に寄っていたら、心もとない。ビジネスにおいては、自分にとって何が重要かを判断する上で、一定の「客観性のあるものさし」を持つことが大切です。

僕は、青と赤を使い分けることで、自分にとって本当に重要なのかどうかを判断する訓練、言い換えれば、重要度を測るものさしを研ぐ訓練をしています。この作業を繰り返していくと、意思決定の判断精度も上がっていきます。

ペンの使い方一つで、発信力が上がったり（緑色）、意思決定力が上がったり（青・赤）するわけですから、本当に面白いですよね。ペンにも、何らかの魔力が備わっているように思います。

「記号」の使い分けによって情報にフラグを立てる

ここまで来るとマニアックではありますが、僕は、色分けの他に、記号の使い分けによって、メモする内容にフラグを立てています。これはあくまでも僕自身のルールですから、皆さんは自分の好きな記号を見つけて、マイルールを作って運用してみてください。

※「ショートカット」欄のひらがなは、PCやスマホでショートカットに登録している文字。デジタルでは、これを打つと、対応する記号が出てきます。自分がよく使う記号は、ひらがな1~2文字で瞬時に呼び出せるようにしておきましょう。

ちなみに、これを登録しているかどうかで、相当、アウトプット時の効率が変わってきます。些細なことに思えるかもしれませんが、日々の非効率の積み重ねによって、我々はかなりの時間を浪費しています。例えば、このやり方を徹底するだけで毎回1秒くらい短縮できるわけですが、これが積み重なると、1日で数分~5分の短縮になります(当然、メモの量が増えれば増えるほど、短縮できる時間も増えていきます)。仮に

1日3分短縮できれば、1ヶ月で90分もボーナスタイムが得られるわけなので、大きいですよね。ここまで狂ったようにメモにこだわるのはちょっと……という方は、本筋から少しそれるので特に気にせずともOKです。が、この本を読んで「メモに狂う」と決めた方にとっては、ぜひ、入力の効率化と真剣に向き合ってみてください。

記号の使い分け

内容	記号	ショートカット
抽象・気づき・学び・主旨	◉	ま
具体・心が動いたこと・感動	◎	まる
仕事タスク	★	ほ
プライベートタスク	☆	ほし
箇条書き（大項目）	▼	さ
箇条書き（中項目）	■	し
箇条書き（小項目）	┏	え
要素分解（数字）	①	―
要素分解（アルファベット）	Ⓐ	―

まず、ファクト。具体事象や、自分の心が動いたゆえに書き留めておきたいことは「◎」のあとに書きます。

抽象化や気づきは、真ん中の丸が黒い「◉」。「◎」で書いたファクトは、抽象化されると「◉」になり、真ん中が黒で塗りつぶされます。具体のときはまだぼんやりしていたことが、意味のある気づきに変わったときに初めて、黒く塗りつぶされる、というイメージです。

そこからの転用、すなわち次に起こすべきアクションには「★」をつけます。★がついていると、「動かなきゃ」というマインドが引き起こされるように、つまり、★が自分のマインドにダイレクトに届いて焦りを引き起こすように、自分の脳をコントロールしています。

例えば、ハロウィンの時期に街中を歩いていて、「今年のハロウィンは昨年より人が多い」というファクトに気づいたら即座にメモをして、その冒頭に、「◎」をつけます。「◎今年のハロウィンは昨年より人が多い」というイメージです。そして、それを「抽象化」します。例えば「人って本質的には演者になりたいのかも」とメモする。そして「◉」をつけるわけです。「◉人って本質的には演者になりたいのかも」ということです。

記号をつけておくと、

■ 抽象化された話はどこにあるか（◉）
■ アクションにつなげるべき事項は何か（★）

これらの「メモの中で最も大事な要素」が俯瞰で見られるようになります。

デジタルノートにおいてもこうしたルールは徹底すべきだと思います。それによって、「今までに自分が抽象化した話（◉）」や、「メモをとりながら生まれたアクションアイテム（★）」が、一瞬ですべて検索表示できるようになるからです。「◉」と検索すると、そこには、自分が世の中から抽出してきた学びや気づきがあらゆるジャンルにまたがって羅列されていて、これがまた、転用につながるアイデア創出の種になっていきます。

「標語」が伝える力の源泉になる

先ほど、ノートの見開きの一番左に「キーワード」を書くとお伝えしました。キーワードというのは「一言で言うとこれは何の話か？」を、端的に示したキャッチコピーのようなものです。

会議中に、ファクトを書き、抽象化し、それを転用。さらに、それぞれ必要に応じてキーワードまで書く、というのはなかなか脳のＣＰＵを食いますし、難易度が高いのですが、慣れてくれば、すべて同時にできるようになります。

ここまで来ると、複雑な話でもシンプルに構造化しながら聞けるようになり、アイデアも本当にどんどん出せるようになります。インプットした情報をどこかでアウトプットする際にも、概念がしっかりキーワードに落ちていれば、伝わる度合いが飛躍的に向上します。標語力は、伝える力の源泉にもなるのです。

ほとんどの会話は、具体的な話に終始します。なぜなら、具体的な話のほうが、そもそもわかりやすいし、頭を使わずに済んで楽だから、です。でも、だからこそ、具体から本質を抽出して、「つまり、こういうことだ」と、抽象的な命題を発見できることの価値が高いのです。さらに言うなら、どんな具体的な事象も、大抵は抽象化して、意味づけができます。これも、多くの人は気づきません。

話がうまい、と感じる人と会話をしていると、いくつかの共通点があります。その一つが、会話それぞれに「タイトル」を勝手につけてくれる、というもの。「なるほど。それは、○○ということですね」、「○○についての話ですね」と、綺麗にまとめてくれるのです。話しているほうも、しっかり聞いてもらえているのがわかるし、「そうそう」と思わず話しているこっちが相槌を打ってしまう。話し上手は聞き上手、と言われますが、それは本当だと思います。

モデレーションがうまい人や、飲み会などで場を回せる人は、例外なく、この「標語をつける」力があります。そういう人は話を構造化し、アイデアを生む力に長けた人である可能性が高いと言えるでしょう。標語を上手につけられると当然、発信能力・伝達能力も同時に引き上がっていきます。

「朝5時半の女」は秀逸な標語事例

会話をしながらリアルタイムに構造化し、標語をつけていくのは、最初は難しいかもしれません。ただ、「標語力」は人の関心を惹《ひ》きつける上で、とても大切なものです。

例えば僕が今、「ＡＫＢに大西桃香さんって女の子がいるんですよ。あの子って2年前までは、３００人の下から数えたほうが早かったんですけど……」という話を始めたら、特にＡＫＢに興味のない方には、「この話、いつ終わるのかなあ……」と思われてしまうでしょう。

一方で、「『朝5時半の女』って、聞いたことありますか？　最近ＡＫＢの中でもかなりの注目株なんです」と言ったら、「えっ、朝5時半の女って何ですか？」と、ファンでなくとも少し関心を惹かれるはずです。

そこで、「実は、大西桃香さんって子がいて、毎朝5時半に起きて、寝ぼけ眼で生配信してるんですよ」という風に話を続けることができますし、相手も興味を持って聞くことができるでしょう。

ここで強調したいのが、「朝5時半の女」という「標語」が重要な役割を果たしていることです。このタイトルさえあれば、パッと人に伝えやすいですし、相手の記憶にも残ります。

標語・タイトル・キーワードは、慣れてくればファクトを書きながらつけていけるようになりますが、慣れないうちは、あとで振り返ってメモを眺めて、標語をつける時間を意識的に設けるべきだと思います。そのくらい、標語力には価値があります。

メモの本質は「振り返り」にあります。振り返ったときに、そこから抽出できる学びの要素が実は信じられないほどたくさんある。「ファクト」を「抽象化」して、それをどういう風に自分に「転用」してアクションするのか？　そこまで導き出して初めて、メモとしての意味が出てくるのです。

第二章

メモで思考を深める

「抽象化」は人間に与えられた最強の武器

メモとは、単に情報を記録するものではなく、受け取った情報に何らかの意味合いを付与し、そこから知的生産していくために存在する、というメッセージを伝えてきました。そして、知覚した情報を知的生産につなげるためのブリッジ役として、「抽象化」という手法を前章で紹介しました。

この「抽象化」こそが僕のメモ術の根幹です。もっと言うと、人間に与えられた最も重要な思考機能であり、最大の武器であると、確信を持って断言できます。

「抽象化」と言うと小難しく聞こえますが、実は、これは、小さい頃から、何の気なしに誰もがやっていることです。いくつか例を挙げます。時々外にいると、空からポツポツ水が落ちてくる。一つ一つの水の粒は大きさが異なるし、成分も微妙に異なるかもしれない。ただし、それをいちいち細かく名付けていたら埒《らち》があかないので、ひとまとめにして、「雨」と呼ぶことを学ぶ。これも抽象化の一種です。

お年頃の男子生徒が、好きな子と遊びに行くことを親に話すとき、「〇〇ちゃんと出掛けてくる」ではなくて、「友達と出掛けてくる」と言うかもしれません。これも、より汎用的で、他の具体にも応用できる別の言葉を使っているという点で、立派な抽象化です。

そもそも、ここで、「雨」という言葉や、「友達」という言葉を使ったように、抽象化によって言語が生まれている以上、我々に抽象化能力が一切なければ、思考や会話自体が全く成立しない、とさえ言えるでしょう。言語だけでなく、何かが二つある状態のことを「2」と抽象化したことによって、違うもの同士の「数」という概念を議論の俎《そ》上《じょう》に載せることができている。「Aさんは昨日2個のりんごを食べ、Bさんは1個しか食べなかったから、今日はAさんが1個、Bさんが2個食べましょう」というように、りんごが目の前に実際に複数個なくても頭で理解して話ができるのも、抽象化のおかげです。このように、数字も抽象化の賜物《たまもの》ということを考えると、抽象化がなければ、僕らは文明を一切形成し得なかったでしょう。

一方、具体化という思考プロセスも、すべての人が1日に何度も経験しているはずです。「例えば」という言葉を発したことがある人は、そのときに、何らかの抽象的な概念を具体的なエピソードや事例でもって、説明しているはずです。あるいは、聞いたことがあるけれど何だかわからない……というときに、Googleに、「○○とは?」と打ち込むと思うのですが、あの作業こそ、よくわからない何か抽象的なものの具体情報を得ることによって、より理解を深めるための、具体化の営みです。さらに言うと、数学の公式を当てはめて個別の問題を解くことも具体化、英語の時間に習う文法に則って英語を話すことも具体化です。

抽象化も、具体化も、その呼び名自体がそれぞれ（それこそ）抽象的なので、何のことかいまいちピンと来ない方もいると思いますが、実はこうしてそれらの概念を具体化すると、すべての人間が頭の中で毎日数え切れないくらいに行っている思考の営みだということがわかるかと思います。毎日、無意識のうちに、具体と抽象を行ったり来たりしているわけです。

ですから、どうか、「抽象化」というその名称の難しそうな雰囲気を、恐れないでください。人間は、この「抽象化」によって、より効率的に生きたり、多くの発明を生み出したりなど、文明を進化させてきています。「抽象化」は、発明の母なのです。

この本の読者の皆さんには、「単純労働者」ではなくて、「発明者」になっていただくためにも、「具体化」以上に、「抽象化」に重点を置いてほしいと思っています。つまり、誰かが抽象化したルールをただ具体的に使いこなす（単純労働者的思考プロセス）のではなくて、具体の中から自分でルールを見つけ、また別の具体にそのルールを適用し、独自の視点でどんどん新しい発見や発明、知的創造を行っていってほしい（発明者的思考プロセス）のです。そのためには、「抽象化」について、もう少し深く学ぶ必要があります。

抽象化の3類型「What」か「How」か「Why」

僕がどのように「抽象化」をしているか、頭の中の整理のプロセスをお伝えしたいと思います。

まず、一番重要なのは、抽象化する際の「問い」です。自分に、「What?」を投げかけるのか、「How?」を投げかけるのか、「Why?」を投げかけるのか。シンプルですが、抽象化のコツをつかむ上で、これがとても重要です。

例えば、目の前の現象や考え方を抽象化して、また別の名前をつけて呼び直す。これ

抽象化の際に考えるべき三つの型

		例	ファクト	抽象化	転用
What型	物質軸	空から降る水の粒		雨	
	関係性軸	左と右 男と女 賛成と反対		反対	
How型	特徴軸	ポケモン	ポケモンというゲームにおいては、それぞれのモンスターに属性があり、属性に応じた攻撃を仕掛けることによって、効果が増大する	相手に応じて攻撃方法を変える	就職試験の面接でも、面接官の特徴に応じて、話すエピソードを変えるべき
Why型	ヒット軸	『カメラを止めるな!』	無名の俳優、低予算	落差、共感	キャンペーンに応用
	インサイト軸	アーカイブ機能	ユーザーの需要	コミュニティ所属欲求 コミュニケーション・応援欲求	まとめサイト

は、「What型」と呼べるでしょう。

一方で、目の前の現象にはどんな特徴があるか、ということを深掘りして考える。これは、「How型」と呼びます。

そして、ヒット映画が当たった理由を抽出して、また別の企画に転用したい。このとき僕らは自分の心に、「Why?」と問うでしょう。

抽象化として価値が高いのは、後者の二つ、「How型」と「Why型」です。なぜなら、他の具体への転用可能性が高く、また、転用したときのインパクトが大きいからです。

もう少しマニアックに抽象化を学びたい人のために、ここから三つの型を軽く深掘りしていきます。実際、純粋に抽象化を身につけてアイデア創出力を伸ばしたい、と考えている方にとっては、ここまで細かくフレームを頭に入れる必要はありませんので、読み飛ばしてもOKです。単純に、メモをとる上では、現象を言語化する「What 型」と、特徴を抽出する「How 型」、抽象化して物事の本質を知る「Why 型」があり、すべて便利ではあるが、知的創造においては、「How 型」と「Why 型」、特に最後の「Why 型」が大きな価値を生み出すことが多い、とだけ、覚えておいてください。

①What 型

■物質軸

例：【空から降る水の粒】→「雨」

【光を発し熱を帯びた穂のような何か】→「炎」

■関係性軸

例：【左と右、男と女、賛成と反対】→「反対」
【数学の方程式（例えば、一次関数）】→「$y=ax+b$」

※What 型については個人が抽象化する意味合いが薄いことが多いので、具体→抽象→転用の例を割愛します。

②How 型

■ 特徴軸（どんな）

例：ポケモン

・特徴（ファクト）…ポケモンというゲームにおいては、それぞれのモンスターに属性があり、属性に応じた攻撃を仕掛けることによって、効果が増大する。

・抽象化…相手に応じて攻撃方法を変える。

・転用…就職試験の面接でも、面接官の特徴に応じて、話すエピソードを変えるべき。

③Why 型

■ ヒット軸（当たった／刺さった理由は何か）

問いの例：

・ある商品が最近一気に売上を伸ばしたが、その理由は何か。
・あるアプリのユーザー数が最近一気に伸びたが、その背景は何か。
・ある映画が最近大当たりしたが、なぜだったのか。

※必ずしも大ヒットしていなくても、自分の琴線に触れるものについて、なぜ自分の琴線に触れるのか、を深掘りして考えてみるのも訓練になる。例えば、歩いていたら目に飛び込んできた広告が、なぜ自分には刺さるのか、など。

具体例：『カメラを止めるな！』のヒット
・ファクト…出演は無名俳優のみ、かつ、300万円という低予算で作られたのにもかかわらず、上映館は公開当初（2018年6月23日）の都内2館から、1ヶ月強で一気に全国150館に拡大。その後も上映館数を拡大し、興行収入も大作に並んだ。
・抽象化…
①ヒットには落差が重要（AなのにB。今回であれば、制作費をかけていないのに面白い）。
②ヒットには共感も重要（「制作費をかけなくても面白いものは作れる」といったように、皆が今言いたいことを体現すると拡散される）。
・転用…SHOWROOMのキャンペーンにも、落差と共感を入れ込む。

■インサイト軸（本当は何が言いたいか）

具体例：SHOWROOMのアーカイブ機能

・ファクト…ユーザーはアーカイブ（録画が見られる機能）を求めている。

・抽象化…あとで見返したいから↓純粋にコンテンツとして見返したい、ということではなく、本質的には、すべてのコンテンツを見逃さずに話題についていきたいという、コミュニティ所属欲求や、演者とのコミュニケーション・応援欲求がベースにあるのではないか。

・転用…むやみにアーカイブを入れてリアルタイム配信を見なくてもよい（＝ライブ配信の優先順位を下げる）理由を作ってしまうのではなく、例えば配信後にまとめサイトなどでニュースが上がるように、きちんとパブリシティを徹底して、コミュニケーションの種を得られる状態を確保することで、本質的（だと今は考えられる）欲求を一定程度満たす。

What型で抽象化した概念も、当然他の具体に転用はできますが、そこから得られる効果は、「この具体現象を何と呼ぶか」ということについて（つまり「What?」の質問に対して）答えが出るのみです。

しかし、How型は、非常に効果的です。これを使いこなせるようになると、一見全く関係ないような遠いところにある具体現象の要素を抽出して、別の具体に当てはめることができます。これを覚えると、世界中にアイデアの種が転がっていることに気づきます。

そして、Why型は、実は個人的にはHow型以上に大切だと考えています。他の具体に転用した際のインパクトが最も大きく、知的生産活動において欠かせない最重要思考プロセスです。もちろん、転用には不確実性がつきものです。一つの事例でうまくいっているからといって、また別の事例にその抽象法則を当てはめたときにすべてうまくいくとは限りません。が、少なくともゼロベースで考えているときよりも、確実に挑戦の成功確率は上がります。ビジネスに携わる方は、少なくとも次の4項目に対しては、「Why?」を向けてみてください。

①世の中でヒットしているもの。
②自分の琴線に触れるもの。
③顧客からの要望。
④社内で起きている問題や課題。

総じて目にしたものや、自分の身に起こったこと、世の中の様々な出来事を、なるべく多く、深く、抽象化しておくことです。何か特徴が気になるものがあれば、その特徴を記しておくべきですし（How型）、何かヒットしたコンテンツがあれば「なぜそれが流行ったのか？」という疑問を深掘りして、その中で最も重要なエッセンスを抽出しておきましょう（Why型）。

これを繰り返すと、抽象的な主張・命題を語る際に、効果的に聴衆を説得できる具体例がどんどん蓄積されていきます。例えば、僕はよくSHOWROOMというライブ配信空間をスナックにたとえるのですが、スナックの特徴をHow型で抽象化してそのような話をするに至っています。例えば、スナックの特徴として、「お客さんが運営側に回っている」というものがあります。ママが他のお客さんとの会話に夢中になったり、酔い潰れたり、知らないうちにどこかに行ってしまったりするので（笑）、自分が他のお客さんを接客しなくてはならない、というような場面に時々遭遇します。でも、こうした「埋めるべき余白の存在」によって、お客さんの場へのロイヤリティが高まり、結果として多くのスナックは、顧客を長年つなぎ止め、濃いファンコミュニティを作ることに成功しています。これはまさに、SHOWROOMで起きている現象と同じです。

ＳＨＯＷＲＯＯＭで人気になる演者は、必ずしも完璧で非の打ち所のないアーティスト、というわけではなくて、まだ歌もこれからだし、演奏も始めたばかり、という方が多い。そういった余白を、オーディエンス側がつい埋めたくなってしまって、気づけば発信側と受信側の境目が不明確になって、結束力の高いファンコミュニティが育っていくのです。

このように僕は、スナックの抽象化によって得た気づきを、ＳＨＯＷＲＯＯＭという具体に転用してよくプレゼンの場で活用しています。抽象化は、アイデアを生むための種を提供してくれるだけでなく、こうして人前でピッチをしたり話をしたりするときにも驚くほどの説得力増大効果をもたらします。

特に価値が高いのは「どんな？」「なぜ？」による抽象化

少し込み入った話になってきたので、また、本質論に戻ります。ここでは、実際に抽象化思考を身につけたい、と思ったときに、どんな思考のフローを経ればよいのかを解説します。

まず、この三つのステップに慣れてください。

①：具体情報を正確に受け取る。
②：①から「他に転用可能な」要素（気づき・背景・法則・特徴など）を抽出（＝これが狭義の「抽象化」）。
③：②をさらに別の何か具体的なものに転用。

つまり、もっとシンプルにすると、

①具体
②抽象
③転用

という思考フローを経ています。

具体的に僕らが見たり聞いたりしてこの現実世界から受け取る情報から、

・「ここから何か（他にも当てはまることが）言えないかな」
・「これはなぜかな、背景は何かな」
・「あらゆるこの種類のものって、○○ということが当てはまるよな」
・「これの特徴はこうだな」

といったことを考えて、より抽象度の高い（＝より多くの具体的な何かにも当てはめることができる）概念を導き出すのです。

重要なので繰り返し述べますが、抽象化の際は、「他の具体にも当てはめて転用すると、同等以上の効果を得られる」ということが大前提となっています。ゆえに、「これらの事象をまとめて○○と呼ぼう」と、What 型で言語化能力を身につけていくことも当然重要なのですが、できれば、他の事象への転用可能性の高い（＝転用した際の価値が相対的に大きい）How 型と Why 型の抽象化を意識してみてください。それには、あらゆる具体事象に対して、「どんな（特徴）？」「なぜ（理由）？」と問うことを癖にしていくことが重要です。そこからの気づきを他に転用する生産性の高い抽象化こそが、知的生産メモの本質です。

『君の名は。』の面白さを1分で伝える

知的創造のベースとして、情報のインプットが重要です。ここまでの話を受けて、抽象化は、アウトプットのためのもの、と感じている方がいるかもしれません。が、それ

は違います。抽象化は、インプットする際にも非常に強力な武器になるのです。

例えば、僕は、人より本を速く読むことができます。それは、「本の具体ではなく、抽象を読んでいるから」です。個別具体のエピソードではなくて、「抽象レベルでは何を言っているか」という観点で読む、ということです。木にたとえるなら、枝葉や葉脈はさっと飛ばし、幹の部分を読むのです。だから、速く読めます。

1冊の本を「3分で話してくれ」と言われたら、3分で話せます。「30分で話してくれ」と言われたら30分使って、ちょうどいい抽象度で話せる。1時間なら、適切な量の枝と葉を追加すればいいだけです。

映画でも同じです。もしも、『君の名は。』ってどんな映画だった？ 3時間たっぷり語って」と言われたら、僕は、「三葉というかわいい女の子の主人公がいて、おばあちゃん、妹と、糸守町という田舎町に住んでいたんだけど……」と、具体名称も交えながらエピソードを語るでしょう。これは、実はそれほど頭を使いません。使うのは、記憶力くらいでしょう。でも逆に、『君の名は。』の面白さを1分で伝えて」と言われたら、僕は立ち止まります。なぜなら、しっかり面白さを抽象化して、言語化しないといけないからです。何かを一言で表すのには、相当な抽象化能力が必要になります。一言で的確に表現されているレビューや言説を見たとき、それが短く端的であるほど、裏側にある膨大な抽象化思考量を想像して、畏怖の念を覚えます。逆に、ダラダラと長くまとまりのない具体エピソードだけを伝える話を聞くと、「あまり考えていないのかな」と、少しがっかりします。もちろん、考えに考えた結果、熱量が余って長くなることもあるので、それは大好きです。ただ、裏側にどれくらいの抽象化思考があったか、というのは、会話における抽象と具体の往復作業を見ていれば、大体判断がつきます。

抽象化は慣れないうちは特に時間がかかる作業ですが、一生懸命考えて抽象化訓練を続けると、かなり短い時間でできるようになります。

抽象化についてより深く考察する上で、細谷功さんの『具体と抽象』という名著が非常に勉強になるでしょう。この本の中でも挙げられていますが、パスカルという、「人間は考える葦である」という名言を残したことで有名な哲学者が、友人に送る手紙の最後にこう書いたというエピソードがあります。「今日は時間がなくて、手紙が長くなってしまいました」。つまり、時間がなくて十分な抽象化ができなかったから、手紙が回りくどく、本質から遠ざかり、長くなってしまった、というのです。

ものごとは時間をかけて考えれば、すべてはシンプルな言葉、すなわち抽象概念に落とし込めます。山崎まさよしさんの「セロリ」という曲をご存知の方は、歌詞を思い出してみてください。

なんだかんだ言っても つまりは　単純に君のこと 好きなのさ

「君」のことを、良いことも悪いことも含めて、いろいろ考えてみるわけですね。そうすると、具体的に思うことがたくさんある。特に恋愛においては、愛があるからこそ、求め合うからこそ、具体的に目につく欠点の方がたくさん出てくる（例えば、自分が好きな夏がだめだったり、逆に自分が嫌いなセロリを好きだったり……笑）。でもそれら具体的要素をすべて抽象化して、単純に一言でまとめると、つまりは、「君のことが好き」という結論が導かれる（笑）。欠点、つまりマイナスの具体要素をグルーピングして、結論「好き」だなんてプラスに転換して抽象化するロジックは、一見矛盾してそうですが、恋愛においては成立しますよね。冗談みたいですが、この「具体をシンプルな言葉にまとめる」思考プロセスがまさに、抽象化です。

化学の法則も、数学の方程式も、大体物凄く単純です。しかしながら、これらの法則に至るまでに、天才化学者、数学者たちが、頭がおかしくなるほど膨大な時間を使っています。

抽象度のレイヤーを上げるためには、相応の思考をしないといけません。「その具体をまとめると、結局何が言えるんだっけ？」と考えることには時間がかかるのです。そしてそれが、人間の思考能力における一番優れたところでもあります。人間以外の生物には抽象化思考ができません。だからきっと、言語を扱えないのでしょう。

この本を読んでいらっしゃる皆さんは、ぜひ、面倒でも、本やテレビ、映画や舞台を観ているときなど、情報やコンテンツに触れる際に、メモをとり、抽象化する癖をつけてみてください。1を聞いて10を知る、と言いますが、10倍ではきかないくらいに、得られる情報量が圧倒的に増えます。

抽象化を通じてインプットした法則は、あとからいくらでも他の具体に転用して味わえる、「価値のある原液」になります。カルピスの原液にソーダを掛け合わせると別の飲み物になるように、最初の原液さえ持っていれば、別の何かで薄めることで全く違う新たなものが生み出せるかもしれない。自分の意識次第でいくらでも原液を採掘できるこの情報の時代に、あらゆる原液の前を素通りしてしまうことは、とても機会損失が大きなことだと思います。

抽象化とは、「本質を考える」こと

前述のWhy型のところで説明しましたが、抽象化とは、端的に言うと、「具体的な事象の本質を考える」ことです。

成功事例の本質がわかっていれば、あらゆる他のことに応用できるようになります。

例えば、「幻冬舎・箕輪さんが編集する本は全部売れる」は「具体」であり、ファクトです。これを知って、ここで思考を止めてしまう人が、ほとんどでしょう。「へぇ、すごい」なのか、「ちょっと気に食わない」なのか、何らかの感想を持ったりする。これは、抽象化ではなく、単なる感想です（※こういった自分の感想を抽象化して、なぜ自分はこんな風に感じるのか、とそのインサイトを深掘りしていけば、後ほど説明する「自己分析のための抽象化」につながります……詳しくは第三章を参照してください）。

さて、「幻冬舎・箕輪さんが編集する本は全部売れる」というファクトの本質には、何があるのか。Whyを深掘りしてみます。箕輪さんが時々、「白紙でも何万部か売れる」と冗談を言うように、数ある要因のうち最も結果に対する寄与度（貢献度・影響度）の高いものが、「強いコミュニティが存在する」とか「ファンがいる」といったことだとします。ここまで来れば、「本を再現性高くヒットさせるには、コミュニティマネジメントが大事だ」という法則めいたものが見えてきます。この本の話を音楽市場にずらしていけば、同じ法則性を音楽市場にも活かすことができます。抽象化の最たるパワーはこれです。つまり、他の具体に落とせる、ということ。「思考を深める＝抽象化」すると、再現性、汎用性が生まれるのです。

そして、当然ながら、汎用性が高ければ高いほど、転用可能性が上がるので、抽象化のパワーが増します。他の10のことに応用できる抽象命題と、100のことに応用できる抽象命題とでは、圧倒的に後者のほうが力は大きいでしょう。先ほどの、「コミュニティがある」という抽象は、音楽市場だけではなく、スポーツでも、伝統工芸でも、数え切れぬほど多くのものに当てはまる成功法則であり、こうした汎用的な気づきをたくさん日常生活から得られる人材になれれば、成長速度は爆発的に増していくでしょう。

抽象化するときは、この「汎用性の高さ」を意識しましょう。汎用するために抽象化するのだ、という目的を意識したほうがいい。ただレイヤーを上げるのではなく「他に活かせないだろうか？」と考えながら抽象化することが、思考を深めることにつながります。

気づきを何かに活かす、すなわち、きっちり「着地させる」ことを前提に、世の中のあらゆる具体を抽象化する。そのためにも、気づきを着地させるための具体的な課題を多く持っていると、有利です。ちなみに僕は、電車に乗ると毎回、広告や人の動きなどあらゆる電車内の現象や事象を脳が勝手に抽象化し始めるので、頭が爆発しそうになります。多くの具体を抽象化して汎用性があるものに変換していく膨大な思考作業を、すごいスピードで一斉に行うからです。

このように、「世の中でうまくいっているもの」や、「自分が素直にいいと感じるもの」を見たときに、素通りせずに、キャッチして抽象化してみてください。「なぜかわかんないけど、このお店すごく居心地良かったな」という感想で大体終わるわけですが、その本質的要素をいくつか書き出して、抽象化しておく。すると、例えば今度は、居心地の良い別のコミュニティを自分が作る際にうまく応用できるのです。本質さえ正しければ、そこがリアルでも、ネットでも、関係なく応用できます。仮に何を対象にしていたとしても、「本質を見る」という抽象化思考さえできれば、目指す目標を達成する能力が著しく向上するでしょう。

「解くべき課題」を明確に持っているか？

抽象化を覚える際に、一つ陥りがちなトラップがあります。

この本を読んで「さあメモを、抽象化を始めよう！」と意識が変わるのは思考癖としてはいいですが、その人自身に切羽詰まった問題意識、すなわち転用すべき他の具体課題がないと、単なるゲームで終わってしまうということです。

僕は幸運にも、具体的に解決しなければならない課題を多く抱えています。自分自身も大きな挑戦をしているので日々課題にぶつかりますし、加えて、周囲からも「こんな課題にぶち当たっているんですが……」というワクワクする相談をたくさんもらいます。つまり、何か成功事例を抽象化したときに、そのルールを転用すべき先が無数にある。明確な課題がなくても、来たるべきいつかの転用機会に備えて抽象化をしておくことはもちろん可能ですし、そうすべきです。が、常に解決すべき具体的なテーマを抱える人に比べると、どうしても効率やモチベーションが下がってしまうでしょう。

今、もし僕が編集者で、「あと半年の間に10万部の本を出さないとクビだ！」と言われたとしたら、世の中のヒット事例を片っ端から抽象化し、「本を売るためのアイデア」に転用するでしょう。「来週までに企画タイトルを考えなければいけない」という具体的な課題があれば、日常で目に入ってくる文字を、すべてタイトルに活かせないか考えるようにもなります。こういった強制力を自分にうまく課すことができる人は、とても強いです。

海外を一人旅して事業アイデアを生んだ起業家の話をよく聞きます。これも前述の例のように、いつもとは異なる刺激・インプットを受ける場所に身を置いて、抽象化するための新鮮な「具体」を探しに行っているのかもしれません。そして、今抱えている「新規事業を生み出したい」という問題意識に転用できる気づきを、それら具体から抽出するのでしょう。

仮に、どれだけ海外に行こうが、宇宙に行こうが、解きたくてたまらない具体的な課題が自分の中にないと、特に抽象化するモチベーションはあまり湧かないでしょう。そういった意味で、この、「解くべき課題の明確化」は、抽象化の前段階において、ビジネスパーソンがまず向き合わねばならない問題かもしれません。

What型抽象化で、言語化能力を高める

ここまで、How 型や Why 型の、本質を考えるタイプの抽象化が重要だと述べてきました。What 型は、最初の二つに比べると、確かに転用した際の威力は下がります。が、改めてここで強調しておきたいこととしては、What 型抽象化思考を踏むと、概念に端的でわかりやすい標語をつける「言語化能力」が高められる、ということです。そして、その言語化能力は、メモをとる際に、必要不可欠です。

そもそもメモしている時点で、あらゆる現象や思いを紙の上で言葉にしなくてはなりません。つまり、メモをとるには、「言語化」のスキルが大前提として必要です。逆に言うと、「メモをとる」という強制力を自分に課すことによって、自然と言語化能力が引き上げられ、それは多くの場面でプラスに働くでしょう。

言語化の効用は、想像以上に大きい。例えば、組織のマネジメントにおいて、部下に期待を伝えることは大切です。どんな言葉で期待を伝えるのか、言語化がうまい人とそうでない人とでは、結果が全く変わってくるでしょう。

相手の気持ちを想像して「こういう言葉で表現したら彼は奮い立つだろう」ということがわかっている人はマネジメントも上手です。言語化が上手な人の言葉は、人の心に残ります。「なんとなく、これと、これと、これも……こんなこともやってほしい」という風に、具体的な期待を羅列するように伝えるよりも、「この半年で君に期待することは、ずばり、『マネジメント能力の向上』です」と、まずは抽象的でよいので、キーワードベースで伝える。すると、おそらく、「マネジメント能力」という抽象度の高い言葉がその人の記憶に残ります。彼が悩んだときには、キャッチコピーのように一瞬で彼の頭の中に想起されるでしょう。

また、言語化に長けると、自分の周りに仲間が自然と増えやすくなります。

事業や、企画、何らかの自分の挑戦に自然と仲間が集まる状況を作るには、自分の内にある熱が伝染するような「生きた言葉」を使うことが重要です。この、言葉によって熱がつい漏れ出て伝わってしまう現象も、単に熱量があればよい、というものでもなく、かなりの部分を言語化の力に頼っている感覚があります。What型抽象化の訓練によって、自分が紡いだ「生きた言葉」で話せるようになると、共感者が自然と集まってくるようになります。

右脳だけでは人を動かせない

僕自身、最初から自然に言語化ができていたかというと、そうではありません。言語化能力を意識的に磨いたのは、社会人になってからだと思います。新卒で入社した外資系投資銀行にいたときに、徹底的に鍛えられました。

投資銀行においては、分析のあと、その結果をお客さんに伝えて、投資行動を起こしてもらわないといけません。よって、左脳的な言葉の力が大切になります。機関投資家という法人であるとはいえ、一個人に1億円以上の大きな投資の意思決定をさせるわけですから、それなりのロジックが大切です。

例えば、右脳的なひらめきによって、「なんとなく、この会社の株を買ったほうがいい気がする」と直感したとします。ただしそれは、あくまでもふわっとした感覚であって、まだこの段階では言語化はできていません。第六感に優れた人は、本当にこうした直感が現実のものとなる確率が高いこともあり、依然それは、科学で解明できていない部分も大きいと思います。

しかしながら、直感は、よほどのことがないと人を動かしません。その人に、目に見える信頼と実績があれば別です。「長いものに巻かれろ」という言葉もありますが、人は、原則、「何を言うか」以上に、「誰が言うか」を指針に、誰かの主張に耳を傾けるかどうかを決めているので、まだ大きな実績を持ち得ない個人が、どれだけ良いことを言っても、なかなか相手に届きません。であれば、戦略的に、まず「誰か」になる必要があるわけですが、そのために最も大切なことが、他者を巻き込むことです。自分一人でやれることには限界があるので、周囲をワクワクさせて、うまく巻き込んでいく人が、実績を出し、「誰か」へと成長していきます。では、どうすれば周囲を巻き込めるのか。それが、「言語」であり、ロジックです。もちろん、ベースに、煮え滾《たぎ》るような熱量が感じられる、ということが大前提ですが、何も実績のない状態で人を巻き込むには、言葉の力で、「この人の力になりたい」「この人にかけてみたい」「この人の言っていることとは正しそうだ」と感じてもらわねばなりません。その際に力を発揮するのが、ここで言う、左脳的な言語化能力なのです。

SHOWROOMを立ち上げるときも、実は、最初は完全なる直感でした。「これは、来るぞ」という、それ以上深く説明できないひらめきです。最初はまだ、正確に、誰から見ても説得力のある形で、「なぜ来るのか」を言語化し切れていなかった。

少年時代に駅前で弾き語りをしたときに、僕にお金を払ってくれたお客さんの幸せそうな顔や、お客さんをパフォーマンスによって喜ばせてお金をもらったときに僕自身が感じた、あの言葉にできない満足感を、ずっと覚えていた。これは、体感せねばわからないことで、なかなか言葉にはしにくい感覚です。

おそらく、当時の何者でもない僕が何を言っても、大して信じてもらえなかったでしょう。なので、例えば、中国で流行っているライブ配信ビジネスのことを分析したり、あらゆる角度からこのビジネスの可能性を「言語化」したりして、仲間を増やしていきました。そのとき、言語化能力が目標達成においていかに重要な貢献を果たすかを感じましたし、自ら生み出した伝わりやすい言語にベースの熱が掛け合わさったときの爆発力を目の当たりにしました。

言語化の第一歩は自分の心に「なぜ」を向けること

では、どうやって言語化能力を会得すればよいのか。当然、インプット（言語化がうまい人の言語と抽象化ロジックをそのまま吸収する）と、アウトプット（深く考えず、前述のWhat型、How型、Why型であらゆる事象を抽象化しまくる）をなるべく大量に繰り返すことが一番です。が、そんなに時間もないし、まずは何から手をつければよいかわからない、という方にお勧めしたい方法は、まず自分の「言語化されていない深層意識」に目を向けてみることです。この思考プロセスを、「意識の抽象化」と呼んでいます。抽象化の3類型の中ではWhy型（なぜ自分に刺さったか、本質的になぜそう思ったのか）に分類されますが、要は、自分の意識に対して、「なぜその意識を持ったのか」と"Why"を向けて、そこから滲《にじ》み出てくる思いを逃げずに言葉に変えていく、という作業です。

「意識の抽象化」の例を挙げます。例えば、講演会に行った帰りに、「勉強になったな」と思ったとします。この時点ではまだ、「なんだか勉強になった」という、浅く、転用可能性のない自意識に気づいた、という状態に過ぎません。そこに危機感を覚えず、思考を深めなければ、ここでせっかく生まれた意識の芽は、その後自分を成長させることのないまま、また、人に伝わることのないまま、ただ忘れ去られていくでしょう。ここで一歩立ち止まって、「待てよ、自分は、なぜ勉強になったと感じているんだ?」と、自分の意識を抽象化していきます。そこで得た気づきを、言葉にする作業こそが、「言語化」です。

僕は、気づかないうちに深めることをやめていた表層的な意識を、メモをとることによって抽象化して、言語化しています。自分のメモ・フォーマットの左ページに、「勉強になった」と書いたら最後、右ページを埋めないと気が済まないからです(笑)。いやでも、何がなぜどのように勉強になったのかを、思考して、言葉にしていくことになります。

この、「意識の抽象化」のチャンスは、本当に生活の至るところに転がっています。例えば、「この映画、面白いな」と思ったとします。実際、8~9割の人は、純粋に「面白いな」で終わるでしょう。その率直で素直な感覚自体は大変尊いものですし、失ってはいけません。が、この意識に「なぜ」を向け、言葉にする作業こそが、僕らの抽象化能力・言語化能力を引き上げます。「なぜ面白いのか」をきちんと言語に落とし込んで、人に伝える作業をすれば相当な力がつきます。

自己完結のメモだとなかなか続かない人は、メモ代わりに、Twitter などSNSを使ってみてください。○○が面白かった、それは、○○だったからだと思う、と、理由を言葉にしてしっかり伝えるのです。わかりやすく、オリジナリティがあったりすると、拡散されるでしょう。一方で、わかりにくく、どこかで聞いたことがあるような言葉は、共感を得られません。こうした上手にアウトプットをせねばならない一定の制約下で言語を届ける訓練を続けると、言語化能力は磨かれていくでしょう。

メモをとるのでも、ツイートするのでも構いません。とにかく、その瞬間を、意識を、逃げずに言葉にすることが大切です。

レトリックにこだわり、独自の言葉を生み出す

ＤｅＮＡ創業者の南場智子さんは、「良質な非常識」といった、パッと聞いて意味がわかるし平易だけど、なんだかハッとさせられるような言葉を使います。良質な非常識、はすごく好きな言葉で、最初に聞いたときから、幾度となく思い出しては、僕自身の行動に影響しているように思います。このように、本質を突いていて、聞いたときに印象に強く残るような言葉を生み出すことのできる経営者の周りに、人や共感が集まっているように思います。表現の巧みさ、という意味で、こうした伝わりやすい言葉を生み出

す能力や技法を、レトリックとも呼びます。

秋元康さんも、レトリックの天才です。レトリックにもいくつか類型がありますが、よく目にするものとして、「今までに組み合わさったことのないような単語同士の組み合わせ」という技法があります。秋元さんはまさに、人が一瞬「えっ」と思うような、新しい言葉の掛け合わせを瞬時に生み出す達人です。

例えば「永遠は短い」という言葉を、歌詞に使っています。

「永遠」と、「短い」という言葉は、そもそも直接的には矛盾しています。よって、今までにもあまり、組み合わさったことがないでしょう。しかし、この聞いたことのない言葉の組み合わせによって、「おや?」と、人により深い印象と感動を与えることができます。

短い永遠って何だろう。例えば、中学生が今、好きな子と一緒に公園のベンチに座って、初めて手をつなぐ瞬間。「この体が熱くなるような、ふわっとした幸せな気持ちが永遠に続いてほしい」と思うけれど、でも、これは永遠ではなく、門限までには帰らなくてはならない。そんな淡く甘酸っぱい感情を「短い永遠」という言葉で表現しているのかな。こんな風に、レトリックにこだわった言葉をぶつければ、聞き手の心に言葉が深く入り込みます。入り込んだあとも、その言葉は聞き手の心の中で育っていって、結果として、強い印象を残すことができます。

放送作家の鈴木おさむさんと打ち合わせをする際にも、いつもそのレトリックのうまさに惚《ほ》れ惚《ぼ》れします。先日は、「生VR」という言葉を生み出していました。そのときは、バーチャルキャラクターにリアルの場で会いに行ける企画の打ち合わせをしていたのですが、それをどう名付けるといいかをみんなで考えていたのです。

みんながうーんと考え込んでいるときに、おさむさんはぼそっと、「生VRがいいんじゃない?」と言ったのです。ハッとしました。よく考えると、「生（＝リアル）」と、「VR（＝バーチャル）」は、相反する言葉です。このように、本来矛盾するような言葉同士をくっつけると、人の心に「?」が浮かんでインパクトを与えられる、ということがわかります（この気づき自体も、一つの抽象化です）。このようにして、レトリックにこだわって独自の言葉を生み出せるようになると、さらに言語化のレベルが上がっていきます。

言語化がうまい人に共通する2大条件

前述しましたが、人は、概念に名前をつけないとそもそも思考できません。記憶もできないし、他の何かに応用することもできない。人間は抽象化、そして言語化することによって、クリエイティビティを獲得しているのです。

例えば、学校で習う英語の文法もそうです。文法も「過去形」や「仮定法」など、きちんと言語に紐付いているから、他に応用できるわけです。「あの昔のことを言うときに使う文法で、-edをつけるやつなんだけど……」と毎回説明していたら非効率的ですし、汎用性が下がります。これを抽象化して、「過去形」と名付けるから、思考や議論が円滑になるのです。

先に挙げた、南場智子さんや秋元康さん、鈴木おさむさんは、極めて言語化が上手です。抽象化のあと、最高に「ハマりの良いワード」をつけることができるのです。

言語化がうまい人には、大きく分けて二つの特徴があります。

一つは、抽象化能力が高いこと。その中でもとりわけ、アナロジー力が高い。アナロジーとは、一見無関係なものの間に何らかの共通点を見つけて、結びつける思考法です。身近で具体的な事例の特徴を探して、抽象化して、それをまた別の具体に当てはめるわけです。

例えば、秋元さんが僕のことをインタビューで答えてくださった際に、「前田くんは猟師みたいな男です」と言ったことがありました。僕と猟師では、具体レベルではそれなりの遠さがあります。どのくらい遠いところにある具体事例を抽象化すべきか、というセンスは、繰り返すうちに研ぎ澄まされていきます。

具体としてみんなが知ってはいるものだけど、「〇〇のようだ」と直喩で例える際には使われたことのないような遠さの言葉を選ぶ。もちろん、前田と猟師を紐付けたのは、あとにも先にも、秋元さんが初めてです。少し遠い具体を話すことで「え？　何ですか、それ？」と人の興味が惹きつけられます。なぜ猟師なんだろう、と思わせるわけです。そこで、「腕の良い猟師は実は、銃を構えるときに、片方の目だけではなく、両方の目で獲物を見て撃つんだ」という説明が続くと、「あぁ、なるほど」と思います。単眼ではなく、複眼的に物事を見る、ということかと、アナロジーの意図がわかるわけです。

秋元さんは、異常なまでの繊細さで、あらゆる事象にまるで「抽象化の付箋」を貼り付けるように、日々このアナロジーのための種集め作業を行っているのだと思います。例えば、「人生は川の流れのようだ」などという表現は、まさに言い得て妙であり、高い抽象化能力がもたらしたアナロジー表現だと思います。川の流れを見つめたときに、「ああ、川って、曲がりくねっていたり、まっすぐになったりしている、つまり良いときも悪いときもあるという特徴がある」と思うわけです。ここで思考プロセスを止めてストックしておいてもよいですし、「これは、まるで人生のようだ」と、川を抽象化して、人生に一気に転用してしまってもよいのです。特徴を見つけて抽象化しておくという一見地味な作業が、僕たちの言語化能力を飛躍的に向上させてくれます。

二つ目は、抽象的な概念に名前をつける力が高いこと。まだ呼び名が決まっていないものに標語をつける、キーワードをつける力です。抽象的で名前をつけにくい概念を、言葉という確かな形で、この世に存在させるのです。

例えば「自己分析」という名前は、誰がつけたのかわかりませんが、とても直感的でわかりやすいですよね。これは良い言語化だと思います。もしもこれが「前田思考」という名前だったら、おそらく誰もが混乱するでしょう。「客観的に自分の内面を見つめて、分析していくことを、前田思考と言うんだよ」と言われたら「え？　前田？誰？」と戸惑うはずです。必ずしもアナロジーやレトリックが利いていなくとも、読んで字のごとく、理解しやすい言葉にすることで伝わりやすくなるという、わかりやすい事例です。変に凝らずとも、まずはみんなが直感的に腹落ちするような、人口に膾炙《かいしゃ》しやすい名前をつける。これも、言語化能力の一つと言えます。

「刺さる」言葉のストックが表現を洗練させる

せっかく言語化をするのなら、なるべく、インパクトのある言葉を生み出したいと思うはずです。この引き出しを増やすにはどうすればいいのでしょうか。それには、単純に「自分の感性に引っかかる言葉」を一つでも多く書き留めておくことをお勧めします。そこからの抽象化などは一旦脇に置いて、印象に残る言葉をひたすらメモしておくのです。

例えば僕は、「可処分精神」という言葉を最近よく使います。そこから発展して、時代は「可処分所得」の奪い合いから、「可処分時間」の奪い合いへ、そして今は「可処分精神」の奪い合いに移っているという話をよくします。

この「可処分精神」という言葉は、僕のオリジナルワードではなく、メタップスの佐藤航陽さんとランチをしたときに彼が言っていたもので、それを聞いたときすぐにメモしました。僕は、最初に誰が言ったかを気にせず、良いと思った言葉はどんどん自分に吸収すべきだと思っています。仲の良い経営者や著名人が使う言葉の中に、僕の言葉もあるし、その逆もたくさんあります。そんな、「言語化で切磋琢磨できる関係」が素敵だと思っています。

ちなみに可処分精神は、ビジネスパーソンがよく使う表現に換言すれば、「マインドシェア」とも言えます。もともとはマーケティング用語で、消費者の心の中で企業や商品、ブランドが占める割合のことを指していましたが、最近ではより広義な意味合いで使われています。心のキャパシティが１００％あるときに、仕事で大きなプロジェクトに向かっているときは仕事が80％、90％のシェアをとるかもしれない。恋人ができたら恋愛の重要性が膨れ上がり、ある瞬間急にそのシェアが80％、90％になるかもしれない。大きなニュースが飛び込んできたら、その瞬間はほとんどニュースが心を占めるかもしれない。一部のビジネスコミュニティでは、これをマインドシェアと表現したりしますが、これに新しく「可処分精神」という名前を付与するだけで、相手の印象に残るし、新しく聞こえるのです。

可処分精神という言葉をメモするときに「あのエピソードを語るときに使おう」などと考えます。よって、佐藤さんがその言葉を使うときの文脈と、僕が使うときの文脈は変わることもあります。抽象と具体を上手に往復できるようになると、他の人が使っている言葉をうまく自分の会話の中に織り交ぜていくことができるようになります。

人に影響を与えている人たちの語彙は、多くの場合、洗練されています。そういう言葉を自分の中に取り込んでいくことで、自分の表現もどんどん磨かれていくのです。

例えば僕は、映画や舞台から抽出した言葉をよく使っています。それは、脚本家が数時間のストーリーの中に入れ込んだセリフ群は、人に感動を与えるという観点で、すごく考え尽くされたものである可能性が高いからです。そういった、インパクトのある言葉を、自分の引き出しの中にストックしておきたいのです。

自分の心に刺さった語彙、引っかかる表現があったら、なるべくすべて、メモしておきましょう。

歌でもいいし、道で見つけた看板でもいい。友人のふとした一言でもいい。店名でもいい。それをそのまま使ってもいいし、抽象化して気づき自体を他に転用してもいい。

以前、沖縄の街をぶらぶらしているときに「京都」というスナックを見つけました。沖縄なのに堂々と「京都」と書いてあることに面白さを感じて、すぐにメモしました。そのときには特にそれ以上何も思わず、単なるメモでした。その後、たまたま北海道で、「メルヘン」というスナックに出会いました。そのスナックに入ったら、全くメルヘン感のないママに出迎えられて（笑）、強い印象を受けたことから、「メルヘン」という言葉も気づけばメモしていました。そのとき、「京都」をメモしたことを思い出して、「実態と乖離《かいり》がある、つまり、何らかのツッコミどころのある名前をつけると、人の印象に残りやすい」という抽象的な学びを得るに至りました。このように、何の気なしにメモしたことが、どこかで自身の表現を豊かにする肥やしになるかもしれないのです。

まず、面白い表現を見つけたら、自分の心がどう揺れ動くかを観察してみましょう。そうすることで、自分が発信側に回ったときにも、よりクリエイティブな言語を発信することができる。人の心に影響を与えやすくなるのです。

「我見」と「離見」が抽象化を加速させる

抽象化能力を引き上げるに当たって、もう一つ、マストで身につけておくべきことがあります。それは、「自分を一歩引いて客観視する癖」です。

能を大成した世阿弥が能楽論書「花鏡」で述べた言葉に、「我見《がけん》」と「離見《りけん》」というものがあります。

芸の世界には、当然ながら、良い演者と悪い演者がいる。それらを分けるものは何か。

それは、「目」である。悪い演者というのは、自分自身（我）が周りを見つめる目、すなわち、「我見」しかない。一方で、良い演者は、自らの体を離れたところから自分を客観的する「離見」の目を持っている、といいます。幽体離脱して、あらゆる方向から自身の演技を見る目。要は、観客の目ですね。この離見の目、すなわち「離見の見」を持つこと、そして、自分側の「我見」を「離見」と一致させていくことが、芸に秀でる上で重要だと、世阿弥は述べています。

日々特に意識をせずにメモしていると、つい「我見」によりがちです。自分の目線や、主観にあまりにも偏ってしまう。離れた場所からフラットかつ客観的に自分を見つめる「離見」を意識することが、抽象化においても大切なのです。ジャパネットたかた創業者の髙田明さんも、能に造詣が深く、この離見を意識してご自身の伝える力を伸ばしていったそうです。

写真を撮ることで「離見の見」を育てる

「離見の見」の訓練として、単純に動画で自分を撮ってもらってそれをレビューする、という方法もありますが、もう一つ、写真家の蜷川実花さんに教わった面白いやり方があります。それは、毎日決まった枚数の写真を撮って、あとで振り返って眺めることです。例えば1日に50枚撮ると決める。この世界を、今の自分がどう切り取るか、ワクワクしながら、毎日自由に撮ってみます。

すると、そのときの心境によって「何にカメラを向けるか」が変わります。撮り終えた写真を振り返って、見つめてみると、「やたら、花ばっかり撮るなあ」「ビルばっかり撮ってるな」など、自分の傾向が見えてくる。この感覚こそ、「離れて自分を見る」、すなわち「離見」の第一歩です。意外と自分のことは知らないものだな、と気づくこともあるでしょう。これを教えてくれた写真家の方は、写真上達のため、ではなく、自分を客観的に見つめるために、ずっとそれをやっていたそうです。「今、こういうタイプの花に心が寄っているな」「黄色ばっかり撮っているな」といったことに自分で気づいて、それを具体的に言語化しておくのだそうです。いわば、写真を通じて、感性の「自己分析」をしている。

「離見」を意識することで、全体の構造や、自分や物事に秘められた本質に気づきやすくなり、抽象化がどんどんうまくなっていくでしょう。

「抽象化ゲーム」のすすめ

ここまで、抽象化の方法論を伝えてきました。この章の締めとして、SHOWROOMの社内で社員向けに僕がよくやっている、ある「ゲーム」をお教えします。

「抽象化ゲーム」と呼んでいるのですが、これに慣れると、日常のあらゆる物体や事象が抽象化の学習素材になります。これも少しマニアックで怖いかもしれないのですが(笑)、抽象化を楽しく極めたい方にはお勧めの方法です。

ゲーム、というくらいなので、本質的に抽象化に適した素材かどうかは関係ありません。たまたま目に映ったもの、そして、それとは一見関係なさそうな別の何かをくっつけて、AはBである、と言ってみます。言ってから、それらの共通点をHow型で炙り出し、考えてみるのです。

例えば「『エンタメとはハイボールである』という命題を説明してみて」といきなり話を振ったりします。「AがBである」と言ったときに、Bから抽象的な要素を抜き出して、Aとの共通点を語ってもらうという訓練です。

ちなみにAの部分は、より抽象度の高い言葉、つまり「汎用性の高い言葉」でないと難しくなります。「人生は小籠包だと思わない？」「仕事って麻雀みたいだよね？」といった具合です。そのほうがゲームとして面白くなります。

先日は、会社の部下とバーミヤンに行って、「小籠包」を抽象化しました。「小籠包って、人生だと思うんだ」と。理由は三つあって、まず第一に、「蒸す時間が必要」であること。第二に、「核心が内側にある」こと。そして第三に、「注意しないとヤケドする」こと。これってまさに、人生だと思わない？　例えば、こんな具合です。

これを高速でできるようになると、相当な抽象化能力を身につけられると思います。良い抽象化ができたな、と思ったら、ぜひＳＮＳで前田までメンションを飛ばして教えてください！

第三章

メモで自分を知る

メモの魔力が「自分」を教えてくれる

メモという魔法のツールを使った「具体・抽象・転用」について、ここまでお話ししてきました。その核となる、「抽象化」についても、しっかり考えてきました。

でも、実は、ここからが本番です。本書は、単なるメモや思考術のノウハウ本ではありません。これらメモや抽象化の技法を学んだところで、結局、「自分が何をやりたいか」ということが明確でなければ、さして意味がありません。まるで、特に倒したい敵もいないのに剣を持って佇んでいる戦士のようなものです。

では、「倒したい敵」がいない人が今、自分の敵を、すなわち、解くべき課題や目指すべきゴールを作るにはどうしたらいいのか。それすら、ここまでお教えしてきたメモの魔力によって解決していこう、というのが、この章の目的です。すべてのノウハウを超えて最も知るべきことは、自分を串刺しにする本質的な人生の軸、です。

この本を書きながら、自分が今までにとった膨大なメモ群を見つめていました。それはもう、気が狂いそうな分量です。なぜ自分がここまでメモにこだわるようになったのだろうと、自分自身に、"Why"を向けてみました。そこで得られた抽象解は、シンプルでした。ひとえに、「猛烈に望んでいることがあるから」、です。どうしても、命を削ってでも、人生をかけて実現したいことがある。そのための武器がメモであり、その強い思いこそが、メモに対する飽くなき姿勢を支えてくれているのです。

自分とは何か？　自分が本当に望んでいるものは何か？　それを明らかにするときにもメモは本当に役立ちます。本書の冒頭でもお伝えした通り、今後、今まで人間がやっていた作業的な仕事のほとんどは、機械にタスクとして任せることができるようになっていくでしょう。そうしたＡＩ時代においては、機械に代替できないような人間らしい生き方をしている人、そして、人の中にある「感情」そのものに価値が集まるようになります。全力で遊んでいる人がいれば、「その遊び教えて！」と、人だかりができるかもしれません。つまり、「自分は何者か」「今、何がやりたいのか」「これから何をやっていくのか」といった問いに明確に答えられる人間であるかどうかが、今後、ますます大事になっていきます。

本来であれば「就活」のときに誰もが考えたことのはずです。就活の「自己分析」をバカにせずにやり切ることで見えてくるものは、必ずあるのです。

最終的には「自分は何をやりたいのか?」という問いに行き着きます。自分を知り、自分の望みを知らないまま、どんなビジネス書を読んでも、どんなセミナーに行っても、まず何も変わらないでしょう。まず「自分を知る」ことがなによりも重要です。

こんな情報が溢れて混沌としている時代において、迷っていない人は最強です。お金のあるなしに関係なく、やりたいことが明確な人が一番幸せだと思っています。

コンサルタントの波頭亮さんと対談した際に、「お金を持っている人から順に豊か、という時代もあったかもしれないけれど、これからの時代は『アジェンダ』を持っている人が豊かになる。つまり、自分がやりたいことや、美意識が明確な順に豊か。お金がいくらあっても、やりたいことや美意識が明確でない人は、不幸になるかもしれないね」ということを言っていました。まさにその通りだと思います。

今さら「自己分析」をすることはつらいかもしれません。できれば目を背けたい、自分の嫌な部分が見えてくるかもしれません。

ただ「やらなければならないこと」が次第になくなっていくこの世界において、「自分が何者か」「何をやりたいのか」を見つけることは重要です。やりたいことがわかっていればあとは「やるだけ」なので、重要なことに自分の命を集中させることができます。

時代に取り残されない人材になるには

今、世界中どこでも、ほとんどの人が常に「スマホ」を触っています。でも、ここまでの状況を、10年前に誰が想像していたでしょうか。

しかも、これからテクノロジーはこれまで以上のスピードで加速度的に進化していくことを考えると、次の10年間、いや、5年間でさえも、何が起こるのか、僕らには正確にはわかりません。

ただ、大きなトレンドや世の流れなら、ある程度の予測はできます。

一つ僕が予測している流れは「個」へのフォーカスです。インターネットが可能にする個のエンパワーメント（要は個人が自助努力でフェアに力をつけやすくなった、ということ）によって、これから、今以上に個人が取り沙汰される時代になると考えています。

人生を組織に委ねることで生きていけた時代も、終焉《しゅうえん》を迎えつつあります。今後は、組織の中でも個人のスキルや仕事力が今以上に可視化・フィーチャーされていくし、組織の枠を超えて、プロジェクトベースで働くことも増えるでしょう。

ブロックチェーン技術が生活の至るところに行き渡り、分散型社会への変革が進めば、組織や企業という概念、枠組みさえ、薄まってしまうかもしれない。

そこで、「個」として戦う上で必要な基本姿勢やスキルを身につけていないと、気づけば時代に取り残されてしまう。僕らは今、とてもチャレンジングな局面に立たされています。

個の時代においては「オタク」が最強

では、これからの社会において、どんな「個」が価値を持つのか。

僕は、何かに熱狂している「オタク」であることが、価値創出の根源になると考えます。あることについて、めちゃくちゃ詳しくて、好きで好きでたまらない。いつだって、ついそのことばかり考えてしまうような人物です。

例えば、堀江貴文さん。

彼が和牛やロケットについてひとたび熱くしゃべり始めたら、もう止まりません。一つのことにそれだけの熱量を注ぎ込める人が、多くの人の共感を集め、お金も集める時代になる。

もちろん、オタクである、熱狂している、というだけでは不完全で、独自の視点やセンスも非常に重要です。単に「詳しく知っている」というだけではなくて、知識を得る中で研ぎ澄まされていった独自の「視点」こそが価値として定義され、消費されていくのです。

例えば、キングコングの西野亮廣さんが考案した、誰でも古本屋を出店できるプラットフォーム「しるし書店」では、普通に流通している書籍が、とある理由で、定価の何倍もの値段、時には、3万円などの高額で売れることもある。

そんな魔法のようなことが起きるのは、しるし書店が「キズ本」、すなわち、「自分なりの〝しるし〟を入れた本」を取り扱っているから。読み手が気になった部分にマーカーでラインを引いたり、コメントを書いたりした古本、ということです。

ここでは、本に記載されている「情報」ではなく、読み手の「視点」に価値が見出《みいだ》されます。

夢中になれるもの、熱中できるものがある人はこれからの時代、とても強い。そのためにも自分を知り、自分の望みを理解しておくことが大切なのです。

就活で書いた「自己分析ノート」30冊

僕は就職活動のときに、「自己分析ノート」を30冊ほど書きました。そんなに、何を書いたの？　と思われるかもしれませんが、主には、「過去の自分の意識を抽象化する」という意識で、それまでの人生を全力で振り返っていきました。

具体的には何をやったのか。まず、自分の人生を振り返るための問いやフレームワークは、すでに世の中に存在するので、そこに時間を割くのは徒労だと考えました。そこで、街の本屋さんに売っている就活の自己分析本を片っ端から買って、すべての質問に答えていきました。

就活生が年間50万人いるとして、その中で「自分のことをよく知っているレース」をしたときに、少なくともトップ1％、5000人の中に本気で入りに行くぞ、という異常な熱量で、自己分析をしました。

僕が当時志望していた外資系の投資銀行は、エントリーシート段階から志望者母数を見ると、1万人受けて2～3人受かるという倍率でした。この中で、「偶然」上位数%に入ることはできない。偶然を必然にするために、努力できることはないか。そう考えていった結果、僕が出した仮説が、「自分を徹底的に深掘りすること」だったのです。

「人生の軸」を見つける

例えば、今、「好きな色は何ですか?」と聞かれたときに、パッと答えられるでしょうか?

「ええっと、何だろう。……うーん、青かなあ」といった受け答えが普通でしょう。

僕は、就職活動中に異常なまでに自分のことを研究していたので、この質問をまさに受けたときも、「色については結構考えていて、実は3色あります。青と紺と黒です。どれか選んでいただければ、なぜその色が好きか、お話しします」と答えました。

日常生活ならまだしも、就職活動において「好きな色は何ですか?」と聞いてくる相手は、別にこちらの好きな色を本当に知りたいと思っているわけではないでしょう。カジュアルな質問を通じて単に性格の傾向を知りたい。ふいを突いた質問、想定外の展開にどう対応するのかが知りたい。この人は自分のことをどれくらい研究しているのか、自分の人生に対してどれほど真摯に向き合っているのかが知りたい。このような仮説が成り立ちます。いずれにせよ、「好きな色を知る」以外の目的で聞いてきている可能性が高い。

このようにして、自分が生まれてから現在に至るまでに感じたり経験したりしたさまざまな要素を振り返り、深く考える時間を持ちました。

ここまで徹底的に自己分析をすると、次第に自分が持っている「人生の軸」が明確になります。「自分はこういうときに幸せを感じやすいから、こんなゴールを持ったら、すごく楽しくなりそうだ」などと、目指すべき方向性を自ら設定できるようになるのです。自分自身のことを深く知ると、不思議と、自然に自信を持てるようになります。もちろん、至らぬ自分に気づくこともあるでしょう。しかし、「至らぬ」ということがわかっているからこそ、そこからの成長があるわけです。欠点を知らない人に比べて、前に進んでいると言えます。

自己分析をしていて、欠点ばかりが目につき、さらには、「軸」も一向に見つからない。こんなこともあるかと思います。その場合も、がっかりする必要はありません。答えは、必ず今までの人生の中にあります。その見つけ方を、僕がお教えします。皆さんの未来は、誰にもわかりません。しかし、過去〜現在は、皆さん自身が一番わかります。

皆さんがどんな意識や判断軸でこれまで生きてきたかに目を向けて、人生の軸を見つけていきましょう。本章でお伝えするフォーマットを信じてもらえば、大丈夫です。本当は、この本でご縁をもらった皆さん全員の人生の軸がしっかり見つかるまで、僕が全員と向き合い、付き添っていきたい気持ちですが、まずはご自身で、全力で考えてみてください。必ず何かが、見えてきます。

「タコわさ理論」

それでも見つからなかったら……？　そんな恐怖を持ちながら読み進めてほしくないし、皆さんにさらに深い心の安寧を提供したいので、先にお伝えしておきます。もし万が一、この後お伝えしていくやり方でも見つからないときも、大丈夫です。そのときは、今やっていること、目の前のやるべきことから少し距離を置いて、客観的に俯瞰で自分を見つめる時間を持ちましょう。日々に忙殺されると、自分がわからなくなります。どこか遠いところに一人旅しても良いかもしれませんし、あるいはひたすら多くの価値観に触れるのも良いと思います。映画を観たり、本を読んだり、人に会って話を聞いたりするうちに、新しい選択肢が見えてくることもある。人生を振り返っても、やりたいこくの新しい経験を通じて、新たな選択肢に触れることが重要です。

僕が、「タコわさ理論」と呼んでいる考え方があります。

例えば、「明日もし地球が終わるとしたら今夜何が食べたいか？」と、小学生に尋ねたとします。おそらく、ハンバーグとか、カレーライスとか、からあげとか、そういった答えが返ってくるでしょう。そこで「タコわさが食べたい」と言い出す子がいたら、相当渋いです。いや、おそらく、そんな子はいません。不思議なことですよね。その子にとって、口にしたときに、この世で一番おいしさを感じる食べ物であるかもしれないのに、なぜ「タコわさ」と言えないのか？　これは、簡単ですね。人が何らかの対象に「好き」という気持ちを向けたり、「こんな風になりたい」という気持ちを抱くのは、原則として、経験が多大に影響しています。経験していないこと、知らないことは、「やりたい」と思うことさえできないのです。であれば、経験の数自体を増やして、「やりたいこと」を見つける確率を上げましょう。真剣に動けば、必ず、見つかります。そして、ひとたび見つかったら、全力でその「やりたいこと」にぶつかっていってください。

自己分析に関するすべての問いに答える

自己分析ノートのとり方やフォーマットは、多種多様です。世界中で年々進化し続けているでしょう。まだ、僕自身の自己分析も続いています。

大切なことは、そういった「形式」よりも、自己分析に対する気持ちの強さ、エネルギーの量です。強く途切れない熱量で、「自分を知る」「自分の意識を言語化する」というテーマと向き合い続けるということです。そのためには、シンプルに、まず一つでも多くの「自分を知るための問い」に答える、ということです。

中長期的には、「自分で問いを立てられる状態」になることも重要ですが、自己分析というテーマは、多くの人たちがすでに向き合ってきています。自分を知るために問うべき問いも、すでに誰かが考えています。であれば、その作業をショートカットして、その問いに高い熱量で答え続けるだけでいい。この問いにすべて答えれば必ず自分を深く知る・理解できる、そんな質問群を――「自己分析1000問」としてまさに僕が大学生のときに答えていた質問を――今回付録として巻末につけてあります。これに答えるだけで、ノート数十冊分にもなるはずです。

世の中にある良質な問いを集めるだけ集めて、すべてに答える。自己分析に関する世の問いに答え切ってしまう。もし付録でお伝えするすべての問いに答え切ってしまった猛者《もさ》のような方がいるなら、今度はどんどん自分で問いを生成するフェーズに移っていってください。自分で自分に問うようになる。離見で自分を見つめ、あらゆる角度から自分のちょっとした意識を抽象化して、自分を深く知り続ける。この戦いは終わりません。

ただ、「これは自分にとって不変の価値観だ」と感じられるような、自分を一本貫くような人生の軸を一度見つけられたら、それは生涯変わらない可能性が高い。その軸を前提にした問いを立て続けることもできる。そんな、皆さんの根底に鎮座している軸を、人生が向かうべき方向を指し示すコンパスを見つけるまで、1000の問いに答え続けてみてください。早ければ、100くらいでもう、悟ってしまう人もいると思います。とにかく、クリティカルな自分への質問に、片っ端から答え続けてみましょう。

「抽象化」なくして自己分析は存在しない

ただし、やみくもにただ質問に答えるだけでは、自己分析の効率が上がりません。自己分析においても欠かさず「具体化」と「抽象化」をセットで行うことが鍵になります。特に、質問に対する自分の回答を、つまり自分の意識を、俯瞰し、抽象化することは重要です。

「あなたの弱点は？　長所は？」などといった自己分析の質問に単に答えるのは、誰にでもできることでしょう。自分が考えた具体的な弱点をさらに「抽象化」して、そこで得た気づきを別のことに「転用」（具体化）したりすることで、計り知れないほど大きな価値が生まれます。

例を挙げましょう。「自分の長所」への答えとして、「辛抱強い」と書いたとします。ここで止まっている自己分析は、弱い。ここで一歩踏み込んで、どんな辛抱強さがあるか、具体化します。そして、それらに対して今度は「なぜ？」を向けて、そのインサイトを深掘りし、抽象化してみるのです。

自分は、なぜ辛抱強いのだろう。何が自分をそこまで辛抱強くさせているのだろう。自分の辛抱強さを形作った原体験は何だろう。こういったことを考えていきます。仮に面接で「あなたの長所は何ですか？」と聞かれて「辛抱強いところです」と答えても、話が続きません。「この人は、うちに入社したあとも、その強みを活かせるな」と聞き手が思えるような言葉を紡ぐには、その、辛抱強い自分というものを俯瞰してみて、より汎用的な形に、抽象化しておくことが重要です。

例えば、「前田さんの長所は?」と聞かれたなら、一つの回答として、「圧倒的努力を可能にする熱量」だと答えるかもしれません。これを、「受験のときに1日〇時間勉強しました」とか「毎日朝の5時まで仕事をしています」という形で、もう少し具体化していきます。

そしてさらにここから、抽象化に移ります。「では、なぜ自分がここまでの圧倒的な努力に身を委ねることができるのか」と問うてみます。抽象度を上げて考えていくと、「運命に対する憤り」という一つの答えが導き出されました。

8歳で両親を亡くし、貧困の中で苦しい思いをして、勉強もまともにできる環境ではない。でも、そんな運命に屈して、自分より優れた環境に置かれた人たちに絶対に負けたくない。自分が何かしたわけでもないのになぜか逆境下に置かれていること自体が正直すごく悔しいけれど、その運命に打ち克って、逆境自体を絶対に正当化してやるんだ。こうした感情が、努力の背景になっていそうだ、という気づきを得ます。

つまり、圧倒的な努力ができることの具体例を出し切って見つめた上で、なぜこうした努力ができるのかを抽象化したのです。これによって、「圧倒的な努力」の上位概念(より汎用性・抽象度の高い概念)は「運命に対する憤り」である、という説明ができるようになる。ここまで抽象化、言語化して初めて、他者にも自分にも説得性の高い自己分析の解が得られていきます。

ここまでお伝えしてきた、効果的な自己分析のフォーマットを一言でまとめるのであれば、「意識の具体化×抽象化」ということになります。

①自分の意識に目を向ける（具体化）
② Why で深掘りする（抽象化）

通常の自己分析は、おそらく①のみで止まります。ただ、それでは本質にたどり着いていません。この本を読んでいる皆さんは、ご自身の深い深い本質部分にまで、たどり着いてください。必ず、できます。

実際に自己分析ノートを書いてみる

早速、巻末の自己分析1000問を広げて、まずはレベル1クリア（＝100問の問いに答えて抽象化する）を目指してノートを書いてみましょう。自己分析ノートの使い方を解説します。136〜137ページを見てください。まず前提として、見開きで使います。左上に問いを書いて、左ページにはその問いに対する具体的な答えを書いていきます。先ほどの僕自身の例に戻るならば、「自分の長所は?」という問いと、それに対して具体的に思いつくこと、それらをまとめて「圧倒的な努力」という標語を書きます。これらファクトを左ページに自由に書いていきます。そして、右ページに移ります。

ここで、抽象化をします。「圧倒的な努力」の具体例たちを抽象化して、二つに分けたページの左側に「運命に対する憤り」という言葉を書きます。

ここで抽象化した「運命に対する憤り」に対して今度は、「では、その価値観を持っている自分は、どうするとよさそうか?」と考えます。例えば僕なら、「その憤りが解消されるくらいの、運命を正当化するような結果を出す」、となります。これを、右ページの右側にある転用の欄に書きます。まだ抽象度が高いので、さらに具体化していって、実際にすぐとれるアクションの形にまで落としていきます。

お気づきの方もいるかもしれませんが、実は、このやり方は、これまで紹介してきたメモ術と全く同じです。「具体→抽象→転用」という知的生産思考の黄金則に沿っています。

自己分析は就活のときだけやればいいというものではありません。すでに社会人であっても、自己分析によって自分を知る意識を持つことはとても大切です。まだ人生の軸が定まっていない人は、自己内省を通じて定めるべきですし、もし定まっている人も、自分自身の価値観が揺るぎないことを改めて確認すれば、それ自体がまた強い自信になって自分に返ってきます。

この本の編集者の箕輪さんは、就活のときに「自分の強みは、面白いことだったら何でもがんばれること」と答えていたそうです。その具体的なエピソードは「インドで監禁されたあと、警察に行くでもなく、すぐネットカフェに行って面白おかしくブログにその経験を書いた」というものです。

僕のフォーマットに則るなら、本来は「なぜ面白いことならがんばれるのか」を抽象化していく必要があるのですが、その価値観自体にこれ以上抽象化の余地はなく、すでに汎用性が高いものになっている場合は特段無理して抽象化しなくてもOKです。「面白いことならがんばれる」ということ自体が、たまたま自分のあらゆる行動に当てはまる、自分自身のアジェンダのようなものだった、ということです。

しかし多くの場合、強みを聞かれて出てくる答えは、汎用性がそこまで高いものではない（少なくとも聞き手にとって汎用性の高さを感じさせるものではない）でしょう。「たまたまそのときに努力できただけでしょ?」と思われてしまうかもしれないし、自分自身もそう思ってしまうかもしれません。ゆえに、抽象化によってさらに上位概念を探ることで、汎用性のあるものにしないといけないのです。

就活のときは「面接官を納得させるため」という目的がありますが、就活でなくても、自分の人生のコンパスを見つけるためにも、汎用的なブレない軸を見つけることは本当に大切です。軸がないと、自分を揺さぶってくる事象が何か起きたときに「あれ？　ちょっと違うかもな……」と毎回揺れ動いてしまうからです。

この、ブレない人生の軸が、自分の人生のアンカー、錨《いかり》、の役目を果たします。できるだけ抽象度が高く、かといって、抽象度が高すぎてぼんやりしないちょうどいいバランスのアンカーを、壊れて変な方向を指すことがない揺るぎないコンパスを、自己分析によって見つけましょう。

①幼少期に苦しかった経験は？

■ファクト：お金がなくて塾に行けないが、塾に行っている子のほうがどうしても賢い。でもその後、死ぬ気で勉強して追い抜いた。

■抽象化：運命を努力で覆したい、逆境はバネになることを証明したいというのが自分のモチベーションになっている。

■転用：このモチベーションを原点に置いておけるような事業を創る。こういった憤りを持っている人に自分の体験を伝えて勇気を与える。

②小学校時代に楽しかった経験は？

■ファクト：兄が通知表を見て喜んでくれたこと。
■抽象化：兄を喜ばせること自体が自分の喜びになっている。
■転用：もっと兄を喜ばせるアクションをとる。

③中学校時代に一番影響を受けた人は？

■ファクト：ギターをくれた親戚のお兄さん。
■抽象化：どんなときも味方でいてくれて、無償の愛を提供してくれた。それが物凄い支えになった。
■転用：今度は自分が誰かの味方になって、無償の愛を提供していこう。

④高校時代に描いていた夢は？

■ファクト：国連などの国際機関に入ること。
■抽象化：世界の不条理と戦いたい、という強い想いがあった。
■転用：民間の力、インターネットの力で世界の不条理を解決していこう。

抽象化3

◉お金がないことによる
苦しさは色々あったが、
その種類によって
自分が苦しいと感じる
度合いは異なっていた。

◉兄の喜びや、喜ばせること自体
が自分の喜びになっている。

運命の壁

↓

これを、後天的な努力で
覆したい！！

↓ さらに

◉「逆境がバネになる」と
いうことを、自分の人生でもって
証明したい！！

（これこそ、自分の根源的な
モチベーションなのではないか）

→ 兄の喜びもモチベーションに
なっていた？（深掘ってみる）

転用2

自分の行動次第で、
もっと兄貴は喜んでくれる
だろうか。

↓

その為のアクションを
考えてとってみる。

★
- 旅行 → 夏？
- プレゼント
- 電話／LINE
- 相談
- ランチに行く

こうしたモチベーションを原点に
置いておけるような事業を
創りたい。

↓

- internet
- enpowerment of individuals

× エンタメ？

‖

ライブ配信？

企画詰める★

同様の憤りを持っている人に
自分の体験を伝えて、
勇気を与える！

幼少期に苦しかった体験は？

環境要因で負けること ⟺ 環境をひっくり返す仕組みをつくりたい！

貧困の苦しみ

◎お金がない

悔しさ

食事

勉強（塾）

弊害

"赤崎さん事件"

◎地域で最も良いとされる塾に行っている子の方が、どうしても賢い。

（e.g. 赤崎さん）

・素数

・悔しかった瞬間の記憶（映像で"）

"映像"というモチベーションスイッチ

◎死ぬ気で勉強

モチベーション確立期

◎成績で追い抜く

兄の喜び？

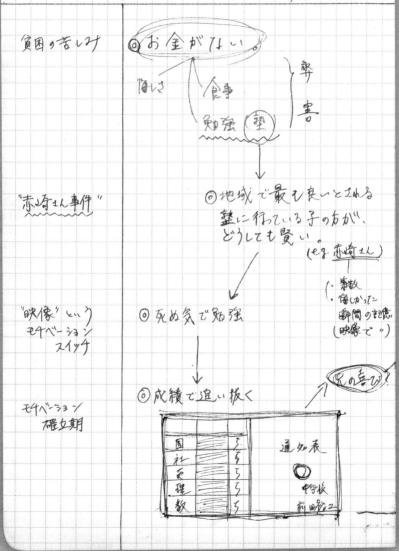

抽象化 1

◉ 本来の役割を超えたところでのサポート

↓

無償の愛

心理的安全の提供

「何があっても味方だ」という安心感。

見返りを求めない、無償の愛。

「自分は、両親がいないから、十分な愛を受けていない」

という思うのは違う。

むしろ、補って余りある大きな無償の愛によって支えられてきた。

転用 1→2

★この発想を常に持ってみる。

↓

前提：本来の役割は全う。

↓

あくまで add on で、一歩踏み込んで思いやりを持ってみる。

圧倒的努力も前提

Next…
My turn.

今度は自分が誰かの味方になって、

「こんな世の中やってらんねよな…」と思っている人に希望を与える。

理想：無償の利他行動

まずは：利己的でも良いから、利他行動を増やす！★

中学校時代に一番影響を受けた人は?

ギターをくれた、親戚の兄ちゃん
(ギター弾き語りを始めるきっかけ+無償の愛)

母のような先生	◎中学校の担任の先生 ・授業以上のLife lesson ・兄との三者面談 →勉強よりも、生活や恋愛を気にする先生…。
ロックスター(自分にとって)	◎親戚の兄ちゃん ・ギターをくれた。 →弾き方を教えてくれた。 ・たまにご飯に誘ってくれた。 ・進路についても意見をくれた。 ・ファッションも格好良かった。
"思いやり"の先生	◎バスケチームのコーチ ・悩みに寄り添ってくれた。 ・食事の心配をいつもしてくれていた。 ・バスケはもちろんだが、それ以上に、真剣に人と向き合う姿勢が好きだった。
弱さを知ってくれている存在	◎友人達 ・いつ訪ねても泊めてくれる。 ・ゲームや音楽に一緒に熱中できる。 ・川に落ちたり、チャリ遠出したり…バカできる。

「では具体的に何をするか」まで書かなければ人生は変わらない

例えば「10年後、あなたは何をしていますか？」という質問に答えるとします。起業家なら「上場して時価総額1兆円企業の社長になっている」とでも書くかもしれません。ただし、「1兆円の企業を自分が経営している」だと、抽象度が低く、本質的な自分の心理が見えている状態ではないので、「10年後を想像している自分」という状態を空から見てみるのです。今、「1兆円の企業の経営者になることを望んでいる」という自分を深掘りしてみる。

すると、例えば「1兆円企業の株の10％を持ち、1000億円の資産が欲しい」と思っている自分に出会うかもしれません。もしくは「1兆円の企業を経営することによって、ビッグな経営者と言われたい」と思っているのかもしれない。「資金調達の規模感を上げて、大規模な投資をすることでより多くのインパクトを社会にもたらしたい」という思いが出てくるかもしれない。それを抽象化の欄に書いていきます。

どの質問においても、この抽象化の作業を行います。各項目の中で抽象度が上がったり下がったりしても全く構いません。大きな流れとして、質問に対して具体的に答えた

「ファクト」を抽象化する。「本質は何だっけ？」「他のものとの共通点はないかな？」といったことを考えて、どんどんレイヤーを上げていく。これを守ってもらえたらと思います。

そして、抽象度のレイヤーを上げたあとに、「じゃあ、どうするの？」と、自分の現実にその価値観を落とし込んでみる作業が重要です。つまり、ここでも、抽象化のあとは、必ず転用がセットになるのです。「自分のやりたいことがわからない」という人であっても、こうした作業を繰り返すことによって、自分が何をすべきかが見えてきて、驚くほど動きやすくなります。

「転用」は本当に大切です。「人生をかけて、この分野で大きな挑戦がしたい」ということがわかったとしても、「じゃあ今この瞬間、それに向けて具体的に何をするの？」ということが決まらないと、何も前に進まないからです。

抽象化まで行っても、転用まで行かないので、行動に落とし込めずに夢が夢のままである人がどれだけ多いことか。僕は、一度しかない人生において、何も行動を起こさず夢を夢のままにしておくのは、本当にもったいないことだと思います。

「じゃあ5分後に何をするのか」「今できることは何か」まで、考えてみましょう。

「大きな挑戦がしたい」であれば「明日から何をするの？」と考える。1兆円企業に成長させたい経営者であれば、例えば、「そもそも上場するために、どの証券会社がいいか、まずは尊敬する上場企業の社長たち、特に最近上場したA社とB社にヒアリングしてみよう」などという具体的なアクションが見えてきます。

自分のコアにたどり着くまでやり切る

前述の通り、巻末で紹介する1000の質問、いや、もっと言うと、世の中のすべての質問に答えるくらいの気持ちで、とにかく量をこなすことが自己分析においては重要だと思っています。

ただ、もし途中で自分のコアにたどり着き、「これは一生譲れない」という人生の軸に気づいてしまったなら、一旦自己分析の筆を置いてもよいと思います。「毎回ちょっと角度が違ったり、粒度が違ったりするけど、大体ここに行き着くな」という人生の方向性を指し示すようなコンパスを見つけたなら、それ自体が、自分を見つけた、ということです。

もし就活生の方がこの本を読まれているなら、人より多くの量をこなすこと自体が他者を圧倒するようなエピソードになるし、「すごく細かいところまで自己分析しているんだな」と面接官にも感じてもらえる。自分自身も量をこなすことで自信がつく。自分について1000問も考えて答えた経験がある人はそもそも世の中に滅多に存在していないので、「私は、ブレない」「もう迷わない」といった自信が内からみなぎってくるはずです。なので、本当に就活で勝ちたいと思う方は、巻末の1000の質問にすべて答えるくらいの熱量で挑戦してみるとよいと思います。

しかしながら、人生の軸を探すという意味では、そこまで徹底する必要はありません。人生をより良く生きるための軸を見つけたいと思っているだけなら、レベル1の100問に答えるだけでも十分でしょう。長所や短所、実現したいことやビジョンなど、それら自己分析の中核となるような問いにまず100問答えて、きちんと抽象化できれば、おそらく人生の軸は見つかります。

よく「やりたいことが見つからないのですが……」という人の相談を受けますが、自分に対する問いに100問答えて、すべて抽象化し、転用までやれば、きっと、自分が心からワクワクする何かが、少なくともその重大なヒントが見つかるはずです。

人生の軸が定まっていることは大きいです。例えば仕事をとりに行くときも、どんな仕事に囲まれれば自分が幸せになるかがわかっているわけですから、楽しい日々を過ごせる確率が上がります。逆に仕事を断るときも、「私はこの仕事を受けないです。なぜかというとこう考えていて、こういう原体験に基づいているからです」と自信を持って、後悔のない判断ができるようになります。

自分を深く知っていれば、自分にまつわるあらゆる意思決定の場面において、ほとんど迷わなくなります。この本に出会ってくださった皆さんには、ぜひその状態を目指してもらって、より高次の喜びや幸せを得てほしいなと心から思います。

第四章

メモで夢をかなえる

「言語化」で夢は現実になる

「夢を紙に書くと現実になる」という話は、皆さんもどこかで聞いたことがあると思います。少しスピリチュアルな「引き寄せの法則」的な言説もありますし、書くことによってＲＡＳ（網様体賦活系）という脳のフィルターが作動するからだ、という科学的な説を唱える向きもあります。僕は脳科学の専門家ではないので、その理由を証明することは、別の場に委ねます。ここでは、僕自身の経験に照らして、論理的に考えてこれだけは間違いなさそうだ、という、二つの理由をお伝えします。

一つは、マインドシェアの問題です。つまり、その夢について、まず紙に書いた時点で、潜在意識に刷り込まれる度合いが高くなります。書く瞬間に脳が受けるインパクトは思いのほか大きく、その結果、紙に書く行為は記憶に残りやすいためです。もちろん、まず言葉にすることに大きな意味があるので、どうしても紙に書けない環境下で何かやりたいことを思いついた場合は、デジタルメモでも構いません。しかし、しっかり脳に染み込ませる意味では、情報量が多く右脳でも記憶しやすい、アナログの文字にして一度見つめてみるべきだと思います。

夢へのマインドシェアが高くなるほど、すなわち、夢について考える時間が長ければ長いほど、夢をかなえるために必要なことをブレイクダウンして考えたり、現在地点との距離を測ってその差分を埋めるための努力方法を見極めたり、また、妨げになりそうな障害や課題をつぶしていこう、という問題意識も芽生えます。

こうした、夢への思考を深めていけるのも、具体的な「言葉」があるからです。ふんわりとしてつかみどころのない願いを持っているだけでは、よほどの強運がない限り、夢は自分から近づいてきません。言語化の過程で、抽象的な夢を具体化したり、また抽象化してみたりして、自分の夢にまつわる言葉群があらゆる抽象度でどんどん磨かれていく。こうした、思考することができる言葉を携えておくことによって、考えるきっかけが、時間が、マインドシェアが増え、夢が現実のものとなりやすくなるのです。

突然ですが「なぜ流れ星を見た瞬間に願いを唱えると夢がかなうのか？」、考えてみたことがありますか？　願いがお星様に届くからでしょうか。おそらく、違います。僕が思うには、「流れ星を見た一瞬ですら、瞬間的に言葉が出てくるくらいの強烈な夢への想いを持っているから」です。そして、その強烈な夢への想いの結果、片時も忘れず、ずっと願っているからです。想いは強ければ強いほど、行動への反映率が上がります。そして、行動こそが、夢が手に届く場所に僕らを連れて行ってくれます。

では、こうした「ずっと願っている状態」を擬似的に作るにはどうすればいいのでしょうか。それはやはり、夢のことを考えるきっかけを増やすことです。その意味では、紙に書いて、毎日の生活動線上にある身近なところに置いておくことで、その紙を何度も見る可能性を高めるのも、夢へのマインドシェアを高めるコツです。例えば手帳の1ページだったり、ベタですがトイレに張り紙をしたり。夢を紙に書いたものを撮影して、スマホの待ち受け画面にしてもいいでしょう。

ある人は、「デジタルのメモは、ブラックホールの彼方《かなた》に消えてしまう」とよく言っています。もちろん検索可能性の高さは時にすごい威力を持ちますし、僕もうまく使い分けして活用していますが、デジタルのメモは、何度も見返すきっかけを作ることはなかなか難しいという欠点があります。

二つ目に、言霊《ことだま》の力です。言霊といっても、別にスピリチュアルな話ではありません。もちろん、「温かい言葉をかけた植物はよく育つ」という話はありますし（それも、温かい言葉をかけるくらい大切に思っている植物なので、水やりや日当たり、栄養分補給などのケアをたくさん施すから、という一定の論理的な理屈があるかもしれませんが）、本当に僕らの理解できないような超科学的なパワーを言葉が持っている可能性はあって、それは僕らが解明できていない不思議の一つなのかもしれません。

ただ、僕が経験上、「あぁ、これが言霊か」と感じたことがあります。一つ目でお伝えした自己の潜在意識を引き上げるというのも、広い意味でいうと言霊的ではあるのですが、僕の中での言霊の力は、言葉によって誰かの意識が変わり、それが何らかの形で自分にポジティブに跳ね返ってくる、というものです。

今、本気でアーティストになりたい人がいるとします。それを心に秘めるのではなく、「自分はアーティストになって多くの人に音楽で感動を与えたい」と言葉にしたとします。そうすると、たまたま彼・彼女のがんばりを見ている近所の方が、「知り合いにレコード会社の人がいるから、CD渡してみようか?」などと言ってくれるかもしれません。SNS社会ですから、もっと広く、その言霊によるチャンスは広がっています。少なくとも、言葉にしていないときよりも、言葉にしているときのほうが、サポートが得られる確率が上がることは、明らかだと思います。このように、言葉にすることによって、仲間や共感者、サポーターが、自分が向かいたいと思っている正しい方向に導いてくれる可能性が高くなるということです。

逆のことも起こります。例えば、僕が早稲田大学に行こう、と思ったのは、高校時代の友人の何気ない一言がきっかけでした。「裕二って、早稲田って感じがするよな。なんだか、バンカラな感じが、ぴったりだよ」という風に言われたのです。それを言われた頃は、僕は大学に行くことすら特に考えていなかったのです。こうして、今になって本に書いてしまうくらいには、僕の潜在意識にずっと刷り込まれていたんだな、と思います。特に明確に意識せずとも、自分の言葉が誰かの潜在意識に大きな影響を与える可能性、つまり言霊の力を考えると、ネガティブなことはなるべく言わないようにしよう、と思えるようになります。なるべくポジティブで愛情を込めた言葉を発することによって、自分に関わってくれた人、ご縁をいただいた人の幸せが少しでも増えたらいいなと思って生きていますし、ぜひ読者の皆さんも、そうあってほしいなと心から願います。

「想い」と「思い」の違い

ちなみに、僕が「思い」ではなく「想い」と書いているのには理由があります。想いのほうがなんとなくエモーショナルで好きだから……というのも正直ありますが（笑）、僕自身の定義では、「対象に対する想像力の深さ」によって、思いか、想いか、が決まります。「想っている」は、より深い想像力で対象のことを考えている、という状態です。

「想」という漢字の成り立ちを見ると、「目」という文字が入っています。「木」も入っています。まさに「目」で「木」という対象を見て具体的なビジュアルイメージを思い描いている状態。これが「想い」です。

目を閉じて、具体的に、ビジュアルを描けるか。

例えば、願いが「親友が欲しい」だとしたら、親友と一緒にいる絵が具体的に思い浮かぶかどうかが重要です。どういう人で、彼・彼女とどういうつきあい方をするか、どんな話をするか、など、具体的に映像として思い浮かぶ状態を目指す。

「想いの言語化」は、その絵が思い浮かぶくらい、想像し切らないといけません。頭でぼんやりと思うだけではなく、目で具体的に見た映像のように、ありありと思い浮かぶくらいまで持っていきたいものです。逆にこれは、「そのくらい欲している対象ですか？」という問いかけでもあるのです。

孫正義さんは、タイムマシンで10年後に行ってそこから帰ってきたかのように、ありありと具体的に将来のビジョンを語るといいます。まさに、絵で見えているのです。絵に描けるぐらい、写真に現像できるぐらいに思い浮かべている。

なぜそれができるかというと、夢や目標に対する実現欲求が異常に強いからでしょう。そのとき、「思い」から「想い」に進化していくのです。

強い想いがベースにあると、その想いが具体化された言葉の力も助けになって、仲間がどんどん増えていくでしょう。必要なタイミングで、必要な人が現れたりするようになります。

僕も、一緒に仕事をしたい人と一緒に仕事をして夢をかなえていっている映像を何度も思い描くし、それこそ、夢にも見るほどです。そして、夢に思い描いたことは、今まではほぼすべて実現しています。その段階に行けば、無意識的行動も含めて、自らのすべての行動がそこに向かっていく。それによって、現実も進みたい方向に自然と向かっていきます。

ただぼんやりと思うのではなく、逃げずに言語化する。そして、きちんと目に見えるくらいはっきりと映像化する。それが夢をかなえるための、効果的な方法なのかなと思います。

考え得るすべての夢を書き出してみる

夢を明確に言語化することで、その実現可能性が飛躍的に上がることをお伝えしてきました。ここからは、実際に、「生涯でやりたいこと」をすべてリストアップしていきましょう。最初は、誰に見せるわけでもないので、心のままに全部書き出していきます。

ポイントは、「終わり」をしっかりと意識することです。人生に終わりがあるとしたら、これだけはやっておきたい、挑戦してみたい、と感じることをすべて出し切ってみましょう。死生観を持った起業家やビジネスパーソンが大成することが多いとよく言われますが、終わりを意識することによって、かけがえのない「今」を全力で生きるようになるからだと思います。そこで生まれるパッションを、自分の「やりたいこと」に思い切りぶつけていきましょう。

やりたいことリスト

やりたいこと	優先度
社内で新規プロジェクトを提案する	A
社外セミナーを受講する	B
ビジネス書を100冊読む	A
副業としてWebデザインを始める	S
短期語学留学	A
アジア圏を旅行する	C
ジムに通って体を鍛える	B
飲み会のない日は自炊する	C
部屋の家具を一新する	C
両親に旅行をプレゼントする	B

夢に優先度をつける

すべてリストアップしたら、次は、それぞれのやりたいことに、優先度をつけていきます。S～Cの4ランクくらいに分けるとよいでしょう。

「Sランク」…絶対に何が何でもやりたい。
「Aランク」…相当強い想いでやりたい。
「Bランク」…やりたい。
「Cランク」…できればやってみたい。

こんな感覚で振り分けていくとよいと思います。A～Cを細かく分けることよりも、自分にとってSをつけられる夢を炙り出していく作業のほうが重要です。全体を眺めて、これだけは譲れない、というものを、見つけてみましょう。

モチベーションの2類型

「会社で昇進したい」「給料を上げたい」「絶対に会社を上場させたい」「リゾート地で何も考えず過ごしたい」「おいしい焼き肉を死ぬほど食べたい」など、夢を十分にリストアップしたら、次は優先順位をつけていきましょう。
ビジネスではよく「重要」と「緊急」のバランスを考えて優先順位をつけるように言

われますが、これを夢や想いという文脈に当てはめると、そもそも夢は緊急ではないことがほとんどです。「いつか○○できたらいいなぁ」という、期限が大体紐付いていない漠然としたものが、世間一般に言われる「夢」だからです。
そこで、夢の優先度を考える際には、当然ながら、「重要度」がものさしになります。

では、重要度は、どのように決めるのか。重要度を定義する前提として、ご自身のモチベーションの型が、トップダウンなのか、ボトムアップなのか、というのをわかっておく必要があります。

第三章でもご紹介した「トップダウン型」のアプローチが向いているのは、自分の最も大切な人生の軸が定まっている人です。例えば「自分はお金持ちになることが一番大切な価値観だ」と決めて、それが揺らがないような状態になれていると、トップダウン型で夢に向かっていけます。自分の人生の軸に沿った大きな夢から逆算してタスクを洗い出し、その夢の達成に向けて貢献度が高そうだと思われるタスクから順に、一つ一つ確実につぶしていけばいい。
「ボトムアップ型」のアプローチは、端的にいうと、「自分がワクワクする度合い」で

モチベーションの2類型

型	重要度を決める尺度	行動タイプ	例
トップダウン	コンパス(価値観の軸)との関連度	目標、ゴールから逆算する	西野亮廣 前田裕二
ボトムアップ	ワクワクするかどうか	目の前の面白そうなことに飛びつく	堀江貴文 箕輪厚介

重要度を決める人です。こういった人は、自分が一番血湧き肉躍る、ワクワクすることを選べばいい。

要は、目標、ゴールをきちっと決めて、そこから逆算して日々の行動を決めていくのが「トップダウン型」、目の前の面白そうなことに飛びつくことで日々の行動が決まっていくのが「ボトムアップ型」です。

トップダウン型なら…コンパス(価値観の軸)との関連度が重要度を決める。

ボトムアップ型なら…ワクワクするかどうか、が重要度を決める。

ちなみに僕はというと、基本的には、ゴールが先にある「トップダウン型」です。

一方で堀江貴文さんや箕輪厚介さんは、「ボトムアップ型」だと感じます。

イメージとしては、例えば目の前に知恵の輪があったとしたらまず、「なんだろうこれ?」と手にとって自然に夢中になれるタイプは、ボトムアップ型。
一方で、「これを解いたその先に何があるか」という終着点の絵が明確に描けたときに初めて、モチベーションが湧いてくるのがトップダウン型です。

自己分析をしていく中で、自分がどちらのタイプなのかが、だんだんとわかってくるはずです。本当はトップダウン型の人が、日々を行き当たりばったりで生きてしまうと、充実感を得ることができません。逆にボトムアップ型の人が、ゴールから逆算して生きようとすると、窮屈さを感じてしまうでしょう。まずは自分がどちらのタイプなのか。どちらの生き方に喜びを感じるのかを把握しておくことが大切です。

さらに、実はその中間のハイブリッド型がある、ということも、ここでお伝えしておきます。

例えば、もともとボトムアップ型の性格を持つ西野亮廣さんは、ディズニーを倒す!と決めたので、そういった意味では今、ボトムアップからトップダウンに少し寄りつつあります。ディズニーを倒すという大きな夢実現のために必要なタスクを、逆算で戦略的に遂行しているのです。

実は、僕自身もそうです。UBS証券にいたときやSHOWROOMの立ち上げ初期は、完全に「トップダウン型」でした。ゴールから逆算して、優先順位をつけ、目標に対して貢献度が低いものから切っていく。重要ではないイベントや友人との飲み会などは、心を鬼にして、すべて切っていたと思います。「何年後までに売上をここまで伸ばす」と具体的にやらざるを得ないので、必然的に数字に結び付かなそうなものを切っていくのです。

ただし、「型」は時代や環境でも変わっていくべきだと感じて、最近は少し変化しつつあります。今でも価値観の大半はトップダウン型であり、ベースの性格としても、ゴールに向かって走ることに喜びを覚えるタイプです。

ただ、仲の良い友人たちにボトムアップ型の人が多くなってきたので、彼らに良い意味で引きずり込まれている自分がいます。

熱中しているものや、楽しいと思うことを反射的にやってしまう。堀江貴文さんの『多動力』よろしく、「楽しい順にやる」という生き方です。以前は、楽しいかどうかは特に関係なく、目標達成にどのくらい貢献度が高いかで優先順位を決めていましたが、だんだんと優先順位のものさしが変わってきたのです。

なぜ僕がボトムアップ型に寄ってきているか。それは、社会の変化を受けて、ボトムアップ型のほうが結果として多くの共感を集め、仲間を増やし、夢をかなえやすくなりつつあるからです。お金よりも心や共感といった人間の内面、内在的価値に重要性が置かれる価値経済が一つのあり方として台頭しつつある今、ドライに逆算でゴールを達成するだけでは人間味がなく、共感者を集めにくくなっている。僕は、一人では戦えないことを痛いほどわかっているので、仲間を集める意味で、そのとき自分のコンパスが指し示す方向に向かって、ワクワクし、熱中するようにしています。

まず自分がどちらのタイプかを把握する。そのタイプをベースに人生を設計しつつも、その型に一生自分が囚われる必要もありません。

特に今は5年後10年後の景色すら全く予測できない時代です。本来トップダウン型の人が、戦略的に目の前のことに夢中になることが必要な場合もあるでしょう。トップダウンとボトムアップ。逆算と、熱中。この両方の性質を併せ持つことが、夢への勝算をつかむ秘訣なのかもしれません。

とるべき行動の細分化

さて、それぞれ皆さん自身の重要度によって優先度をつけたら、今度は、Sランクと定義した夢を確実にかなえるために「とるべき行動の細分化」を行います。必要な要素をブレイクダウンして、自分が現時点で、具体的にとるべき行動を書いていくのです。そこで生まれた細かいタスクをスケジュールにしっかり入れ込んで行動に移していけば、本当に一歩ずつ夢の現実化に向けて前進していきます。

この工程を経ることで、夢に曖昧さがなくなり、逃げ道がなくなっていきます。夢をかなえるに当たって、自分自身に、言い訳ができなくなるのです。「こんなに努力しているのに夢がかなわない」ではなくて、「やるべきことが具体化できていないから夢がかなわない」ということに気づける。これは、大きいです。

もしもこの作業がそもそも息苦しいと感じる人がいたら、それももちろん正しいと思います。ここまで説明してきたやり方は、まずゴールを設定してから逆算思考で達成方法を考えていくことが得意な「トップダウン型」の思考を持った人に向いています。逆に、先にゴールを決めちゃうのはなんかつまらないし、ちょっと縛られる感じがして苦しいな……と思う方は、目先の楽しいことに身を委ね、熱中・熱狂することで成果を出していく、「ボトムアップ型」の生き方のほうが向いているのかもしれません。そこに気づけることも、一つの価値だと思います。その意味でも、まずは夢のリストアップをやってみてください。

ちなみに、夢へのタスクをブレイクダウンする過程において、「自分に近い夢をかなえた人はいないかな？」「同じレベルで実績を出している人はいないかな？」と考えて見渡してみると、非常に勉強になるので、試してみてください。目標とする人が「成功するまでにやったこと」をすべて羅列してみて、その中で自分が参考にできることを真似ていけばいいのです。

また、リストアップの過程で、全然やりたいことが見つからなかったらどうしたらよいでしょうか、という質問も聞こえてきそうです。それもまた、価値です。見つからなくてもいい。「ここまで考えてみても、やりたいことが本当に見つからない自分」を認知することが重要です。その場合は、自分がやりたいと思える何かに出会えていないということなので、「一つでも多くの事象・経験に触れ、一人でも多くの人と会って話を聞く」という別の打ち手をとることができます。

また、夢に優先度をつけるのが難しい、と感じる方もいるかもしれません。「自分にとってSランクのものって何だろう？」と考え始めると、意外と難しい。でも、心配しないでください、それすらも、出発点に立てている、ということです。もし仮にSランクだと胸を張って言える夢が見つからないのであれば、見つかっていないことを認識することで、今度はSランクの夢を見つけようと脳が動き始める。そうすることによって、そうでないときに比べて、皆さんにとってSランクの夢が見つかる確率が格段に上がるでしょう。

もし、Sランクの夢が複数出てきた場合は、どうするのでしょうか?

二つあります。

一つは「マージする（一つにまとめる）」というやり方です。つまり、複数の夢を合わせて一つにできないかを検討するのです。意外と、別のように見えて、一つのストーリーラインに乗ってくる夢はあります。例えば、「1億円以上の資産を持ちたい」と、「障害者の雇用支援がしたい」という夢があったとします。一見別のことのように思えますが、障害者の雇用支援をする事業を立ち上げて、きちんと収益を上げ、自分の資産を会社経営という枠組みの中で築いていけば良いのです。このように、よく考えてみるとつなげられる夢は多いです。なるべく多くの（Sランクの）夢をかなえられる人生が良いはずなので、マージの可能性は常に探ってみるべきでしょう。

もう一つは、「選択と集中」です。どうしてもマージできなそうなときは、もう、一つに「決める」のです。例えば今、泉の中から金の斧《おの》と銀の斧を持った神様が出てきて「一つだけあげる」と言われたときにどちらを選ぶのか。今、崖から落ちそうな夢Aと夢Bの腕を一本ずつ自分がつかんであげているとして、どちらかを落とさないと、どちらかを救えないとしたら、どちらを救うのか。要するに、一つだけしか実現できないとするならば、何を捨て、何を選ぶか。夢をかなえるために、決断するのです。

ゴール設計時に有効な「ＳＭＡＲＴ」というものさし

　ここで補足したいのが、夢には、かないやすいものと、かないにくいものがある、ということです。夢の設定、すなわちゴール設定において大切なチェック機構として、「ＳＭＡＲＴ」という有名なフレームワークがあります。このものさしを当てておけば、しっかり「かなう」可能性が高いゴールを持つことができます。

　一つずつ説明します。

　まず「Ｓ」は「Specific」。「具体的である」ということ。具体的であることの重要性は、ここまでにも何度も説明してきているので割愛します。

　二つ目の「Ｍ」は「Measurable」。「測定可能である」ということ。ゴールを定量可能な状態に落とすと、アクションが具体化しやすく、夢がかなう確率が一気に上がります。その意味では、一つ目の「Ｓ」にもつながってくる観点だと思います。

　三つ目は「Achievable」です。「達成可能である」ということ。

　例えば、達成可能ではない目標を設定してくる部下がいたら、上司は困るでしょう。「来年、売上を１００倍にします」というのは、その意気は買いたいが、決してアチーバブルではない。例えば、「1・5倍にします」ならアチーバブルかもしれません。とはいえ、今は夢を描いてもらっているので、この達成可能性は特に強く意識しなくてもよいです。むしろ一度、達成可能かどうかというバイアスを外して、本当に心が渇望して求める夢を探すのが目的ですから、「A」は忘れてしまっても構いません。

四つ目の「R」は「Related」。「関連性がある」ということ。

仕事であれば、自分の部署や、チームの持っている解くべき課題に関連しているかどうか。人生であれば、自分のコンパスや価値観の軸にちゃんと関連しているかどうか。自分の幸せの軸と全く関係のない夢をかなえようとしても、幸せになれるわけがありません。その意味では一見重要そうですが、そもそも皆さんには、自分が心からワクワクする夢をリストアップしてもらっているので、その時点でこれはクリアできているはずです。よって、「R」も今回はそれほど気にしなくてもOKです。

五つ目の「T」は「Time」。「時間の制約がある」ということ。これはとても重要です。「いつまでに」「いつやるか」という時間の制約があって初めて、スケジュールが立てられます。例えば、「売上を1・5倍にします」というのは一見アチーバブルに見えるけれど、100年後に達成しても意味がない。それを「1年後に」と定義するからこそ、目標として意味が出てきます。

「夢に日付をつけろ」という成功法則も、よく耳にすると思います。GMOの熊谷正寿さんは「35歳で上場する」と手帳に書いて、それを毎日見て、士気を上げていたと言います。現実は、というと、奇しくも35歳と1ヶ月で上場を達成しました。いろいろな要因がありますが、最初にきちんと時間制約を設けたことの恩恵は、計り知れないと思います。

つまり、SMARTというゴール設定のフレームワークを「夢」に応用する際に特に大切なのは、「S」と「M」と「T」です。具体的で、測定可能で、時間の制約をちゃんと設ける。これによって、夢がかなう確率が大幅に上がります。

世の中には、本当に天才がいます。熱中しているうちに、気づけば、他の人が決して到達し得ないような高みに上ってしまう。そういった方は、こんなフレームワークに頼らなくても、どんどん夢をかなえていけるのかもしれません。

でも、残念ながら、多くの人は、天才ではない。ただし、そこで悲観すべきではないと思っています。むしろ、天才ではないことを自覚するからこそ、天才たちができないような科学的なアプローチによって、天才と同じ結果を出すのです。ワクワクしませんか？

ストーリーを語る際に重要な三つのポイント

さて、かないやすい夢の設定ができたら、ここからはそれを上手に周囲に伝えていく方法を考えましょう。自分の人生の軸と、それが指し示す夢を認識・言語化して、ストーリーを語れるようになると、次第に、夢の応援団が現れるようになります。応援団が増えれば増えるほど、夢の実現確率は上がります。よってここでは、ストーリーの語り方・効果的なプレゼンの仕方について、少しコツをお伝えしたいと思います。

僕がストーリーを語るときに特に意識しているポイントは大きく三つです。

一つは、エピソードを可能な限り「具体的に」話すことです。固有名詞や会話の内容を織り交ぜ、そのときの情景が聞き手にもありありと思い浮かぶように話すのです。具体的な情報のほうが、記憶に残ります。

二つ目は「間《ま》」を恐れず使いこなすこと。

間はとても重要です。小泉進次郎さんや前アメリカ大統領のオバマ氏、ジャパネットたかたの髙田明さんなど、卓越したスピーチ力を持つ人は皆共通して、間が絶妙なのです。重要なメッセージを伝える前に、質問をして、5秒、10秒と、その場に応じた適切な間を置く。「次の言葉、忘れたのかな?」と思われるくらい間を置く。このように、聴衆に深く考えさせたり、アテンションを惹きつけたりするに当たって、「間」ほど威力のあるツールはありません。

三つ目は、「間」の話とも通じるのですが、一方通行ではなくなるべく双方向、インタラクティブに話すことです。インタラクティブと言っても、目の前に大勢いたら、一人ひとりとはインタラクトできません。そのときは「心のインタラクション」をするのです。例えば「○○を知っていますか?」と質問を投げたあと、少し時間を置く。その間に聞くほうは「ん? 知らないな」とか「いや知ってるよ」と考える余裕ができます。プレゼンを双方向にする間接的ではあるけれど一応一定のインタラクションが起きる。プレゼンを双方向にすることで、聴衆とプレゼンターの間に、人間らしい絆が生まれていきます。

エピソードの「着地点」を先に提示する

また、具体的なエピソードを話すときに気をつけたいのが、「要するに何を伝えたいのか」を先に提示することです。

聞き手は多くの場合、エピソードトークが始まると、「これ、どこで終わるのかな?」「何の話が始まったのかな?」「どこで着地するのかな?」と無意識に感じてしまいます。聞き手を、不安にさせてはいけません。

着地点が見えている状態で具体的なエピソードを話すと、聞く側のストレスは大幅に軽減されます。

小泉進次郎さんがこんな話をしていました。

「私は、今の時代に求められるリーダー像が大きく変わってきていることを強く感じます。すなわち、現代は、坂本龍馬的なリーダーではなくて、吉田松陰的なリーダーを人が求め始めているのではないでしょうか。

黒船が日本に来航したときのことです。当時、全く異なる行動をとった2人のリーダーがいました。それが坂本龍馬と吉田松陰です。

坂本龍馬は『黒船は日本にとって脅威なので、ちゃんと戦おう。黒船を打ち倒すための方策をみんなで考えよう』と言って、みんなを奮い立たせました。奇をてらわず真っ直ぐに正面突破。いわば、リーダーとしての正攻法です。

一方で、吉田松陰は何をしたか。彼は、もし政府に知られたら打ち首になるかもしれないのに、そのリスクも顧みず小舟で黒船の近くまで横付けします。そして、黒船のデッキに乗り込み、アメリカに行って外国文明を徹底的に吸収してこようとしたのです。

極めて柔軟で、しなやかです。

今の時代に求められるのは『力に対して力で戦っていこうとするリーダー』ではありません。『力をスッと受け流して、むしろその力を吸収しようとするリーダー』です。硬軟で言うと軟。やわらかい吸収力で相手を凌駕《りょうが》していくようなリーダーの存在です。

敵国が武力を持っているとしたら、こちらもそれに応じて武力で対抗しようとするリーダーではない。相手をしっかり分析して、敵から何を吸収すべきで、敵にない自分の強みはどこにあるかということを冷静に考える。その理解を前提にして自らの打ち手を考え、すぐに行動に移せるような柔軟なリーダーが求められると思うんです」

話のあと、割れんばかりの拍手が起きました。少し長めの話でも聴衆が安心して聞けたのは、着地点を最初に提示したからでしょう。

「日本人が求めるリーダー像が変化している」「過去に日本にいた2人の違うリーダー像を通して説明したい」と最初にお品書きを示すことによって、具体的なエピソードがどのあたりに着地するかがなんとなく見える。そうすると安心して聞けるのです。

よって、皆さんがプレゼンする際にも、まず最初に抽象度の高い命題を提示して「今から自分が話すエピソードによって何を言わんとしているのか」を先に伝えるといいでしょう（あえて着地点を示さずに聴衆に軽い不安を与え、それを最後にひっくり返してより大きな感動を作るという高等テクニックもありますが、まずは、ここで説明した着地点を先に示すやり方を試してみてください）。

「自分」とアポをとる

夢をかなえるためには「緊急ではないけれど重要なもの」に向き合う時間をとることが大切です。多くの人が「緊急」なことに日々追われてしまって、なかなか夢のための時間を確保できていないと思います。

僕が夢をかなえるために昔からやっているのは、特に目新しい手法ではないですが、自分との約束をスケジュールにはっきりと書き込むことです。「緊急ではないけれど重要なもの」に対する自分との約束は、よほどのことがない限り、常に守っています。誰かとの約束が入りそうになっても、自分との約束を優先することもあります。

土日でもいいし、寝る前でもいい。自問自答する時間や、夢に向き合う時間をきちんとブロックしておくこと、自分との約束を果たすことは、とても重要です。

僕の場合は、平日の日中、時間にして18時間くらいは、仕事の予定が詰まっているので、ほとんど自分との約束を入れられません。そこで、寝る前の1時間だけは一切の連絡を遮断して「自分とのアポ」の時間に充てています。ここで必ず、本を読んだり、1日に抽象化した気づきを日記風にまとめたり、自己内省をしたりといった、緊急ではないけれど自分にとって重要なルーティンをこなしています。成長のためには、習慣に勝る武器はないということを知っているからです。

「ライフチャート」で人生を水平に捉える

もう一つ、付録の自己分析１０００問は「さすがに体育会系すぎてつらい……」という人のために、また、より人生を鳥瞰《ちょうかん》的に眺めて新たな気づきを得るために、「ライフチャート」という、もう少し簡略化した自己分析フレームワークを紹介します。

「ライフチャート」とは、横軸を自分の年齢、縦軸を感情のプラスマイナスに設定して、時系列で人生の幸福度のアップダウンを表したものです。１７４〜１７５ページを見てください。

生まれたときを「０」として、感情がプラスのときは上がって、マイナスのときは下がる。自分のこれまでを振り返りながら描いてみましょう。

このチャートが優れているのは、自分の人生を、垂直的にではなく、水平的に、俯瞰で見られる点です。ミクロの視点で入り込んで自己分析していると、つい思考は垂直になります。「大学生のとき、何をがんばっていましたか?」など、人生の「ある一点」での自分のことを深掘りしていくのです。もちろん、この深掘りに価値があることは、本書で説明してきた通りです。しかし、より良く自分の本質を知ろうと思うと、もう少し引いた目線で、全体の流れに目を向けることも重要です。

もしかしたらある人は、子供の頃はもの作りがすごく好きで、その頃は毎日が楽しかったのに、気づいたら就活の波に乗って、今は特にパッションを持てない経理の仕事をしている、ということもあるかもしれない。意外とこういうことって、流れで捉えないと、見えてこなかったりもします。

自分の人生を縦軸で見るのではなく、横軸で見る。なるべく「幅」で捉える。そこから自分の価値観や何を幸福と思うかが見えてくることもあります。自己分析においては、「垂直方向のエピソードや価値観の深掘り」に、「水平方向の全体感把握」を掛け合わせて、縦と横で立体的に自分を見ていくことが有効な手段と言えます。

人生を段階に分けてキーワードをつける

ライフチャートを作るときに、自分の人生をいくつかの段階に分けてみましょう。「勉強に明け暮れた時期」「仕事に没頭した時期」「とにかく遊びまくった時期」など、人生をいくつかに分割してみてください。

ここで、一つ大切なことですが、なるべく「中学生より前の時代」を厚めに書いてください。なぜなら、そこに大人になっても変わらぬ人の本質的な特性が眠っていることが多いからです。幼少期、5〜6歳のときに体感した感動や感情の揺れ動きは、今でもその人の本質につながっている可能性が高い。人生の大きなターニングポイントや原体験が現在に近い人も当然いますが、幼少期にあることのほうが多いでしょう。自分の幼少期を含めて「自分がなぜ、どんなときに喜びを感じ、幸せを感じるか」を見つけていきましょう。

慣れてきたら、それぞれのフェーズに、自分なりのキーワードをつけてみましょう。人生のイベントや出来事に「標語」をつけるのです。「受験合格」だと単なるファクトになりますが、それによってどういう感情の動きがあったか（なぜ感情が動いたか）というエモーション要素も含めて、名前をつける。「なぜここでチャートが上に上がってきているのか」を、感情軸で考えてみるのです。そうすると例えば、「受験合格」という言葉は、「努力が報われた瞬間」という標語に変わります。これを続けていくと「自分が何者か」「どういうときにがんばれるか」「どんなときに喜びを覚えるか」などがどんどん言語化できるようになります。

例えば、受験合格の「前」にライフチャートが一番上がっているとします。その事実を冷静に考えると、「山を見つけ、頂上に向かって登っていき、山頂から景色を見た瞬間にすごく幸せを感じるタイプであり、結果が出たあとはつまらなくなる」ということに気づくかもしれません。であれば「山頂からの景色を見続ける人生」には、それほど喜びを感じないかもしれない。

あるいは、入社当初のライフチャートが高く、今は下がってきている中堅社員がいるかもしれない。本当は何かに向かってチャレンジして達成することに幸せを感じるのに、すでにルーティンの仕事しか求められないような状態になり、幸福度が下がっているのかもしれない。とはいえ大企業の中にいるので、そんなにアグレッシブに挑戦ができるわけでもなく、ライフチャート的には「挑戦」に強い価値観を持つ自分は、このままこ

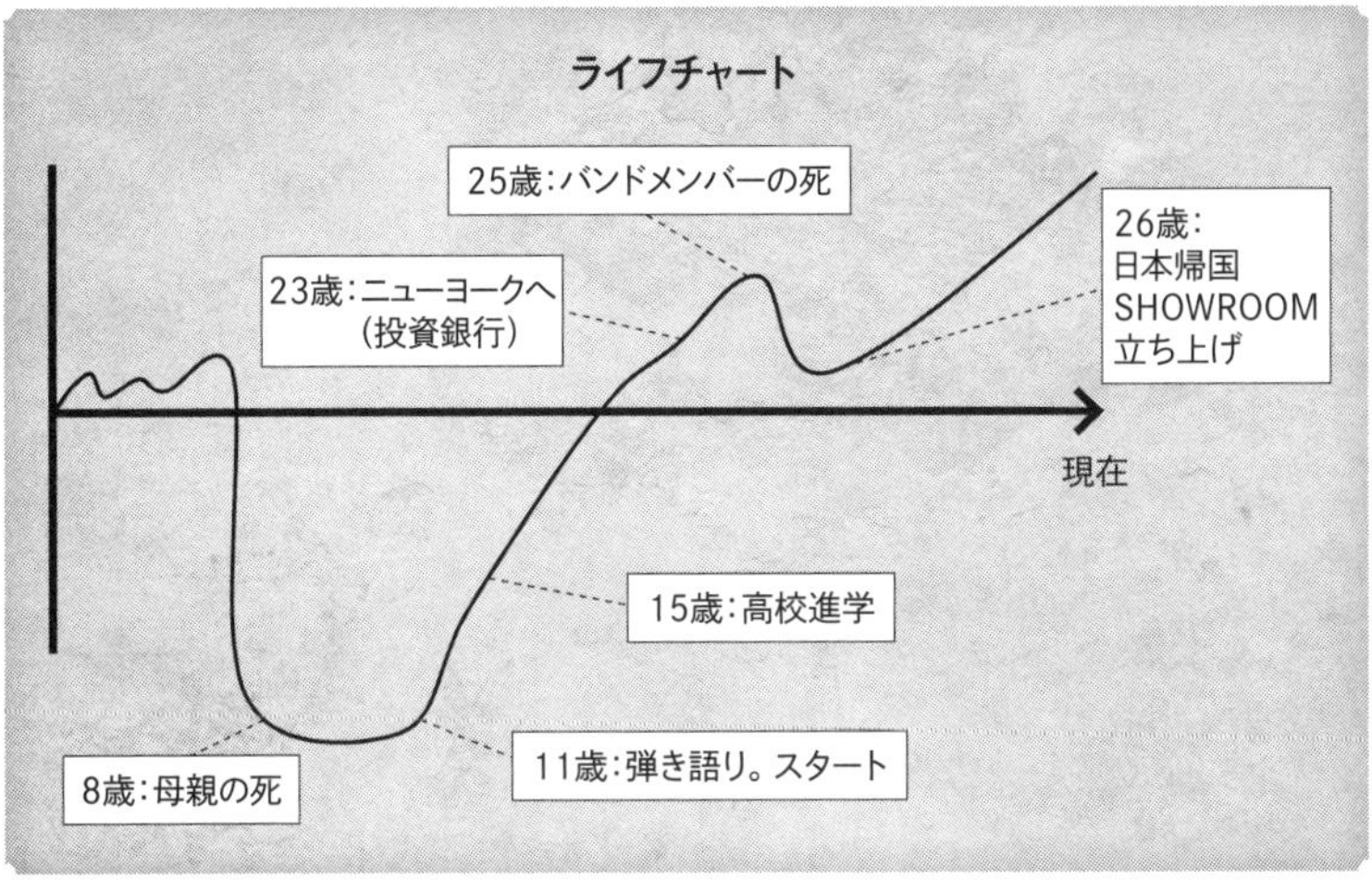

こにいては幸せになれない。例えばこう感じた人は、ライフチャートをきっかけにして、キャリアチェンジを考えることになるかもしれません。今こそ、剣を手にとり、戦うときかもしれないから、です。

「変曲点」に幸せの源泉が秘められている

このチャートで最も見るべき箇所は、「変曲点」です。

なぜ上がったのか？　なぜ下がったのか？　自分の感情を大きくアップさせたものを発見できれば、それが自分の「生きる意味」や「幸せの源泉」です。

なぜそこで感情が動いたのか？　ここでもWhy型で、「なぜ」を深掘りすると、抽象化しやすいでしょう。

最後に、「では今から書いてみよう！」という人向けに、ライフチャートのやり方を簡単にまとめておきます。

①ヨコ軸に年齢、タテ軸に感情を設定した図を書く。
②生まれたときを「0」として現在までの感情の起伏を描く。
③人生の歴史をいくつかのフェーズに分ける。
④それぞれのフェーズにおける出来事やエピソードを書き入れる。
⑤標語を抽出し、自分のストーリーを魅力的に伝えられるようにする。

誰にだって「ストーリー」がある

ライフチャートを作ると、人に話せる自分だけのストーリーが見えてきます。「このとき、自分の心がこう動いた」というファクトに改めて目を向け、その裏側にあった感情を書き出して抽象化できれば、本当に強力なストーリーになると思います。

人生はドラマです。ストーリーのない人生なんてありません。絶対にどこかしら人生を切り取ると、他の人が「え？」と前のめりになって興味を持ってくれるような要素は誰にだってあります。その要素が果たしてどこに眠っているのか、これをぜひ見つけ出して、話せるようになっていただきたいというのが僕の切なる願いです。

このインターネット時代において、周りに拡散したくなるストーリーやエピソードを持っていることは、本当に大きな武器になります。

僕が皆さんにＳＨＯＷＲＯＯＭのことを説明するときに、「誰でもライブ配信できて、ギフティングができるサービスで……」と表層的な説明をしても、おそらく、ほとんど刺さらず終わるでしょう。記憶にも残りません。

それを、このように変えます。「実は、もともと小学生の頃から路上で弾き語りをして、実際にギターケースにお金を入れてもらっていたんです。この『弾き語りでお金をもらう』というアナログの体験をデジタルに置き換えることでＳＨＯＷＲＯＯＭが生まれています」。こうしたストーリーとからめて話すと相手にも興味を持ってもらいやすい。

「え？　小学生のときから弾き語りしてたんですか？」などと、話が展開していくかもしれない。そして、ここまでのめり込んだ聴衆は、つい他の人にも伝えたくなっているはずです。

自己分析１０００問とライフチャートで自分のことを知り、幸福の源とも言える「人生のコンパス」を手に入れる。そして、それらを上手に言語化して、他人に話して感動してもらえる状態にまでストーリーを昇華させる。抽象化に長けた皆さんが、ストーリーテリングの力も併せ持つのだとしたら、それは鬼に金棒です。

夢をかなえるためには、協力者の存在が必要不可欠です。協力者が増えれば、当然夢に到達できる可能性が一人のときよりも高くなりますし、何より、多くの人を巻き込んでいることで、自分自身に「やらざるを得ない」というプレッシャーをかけることもできます。しっかりストーリーを語れるようになって、「夢がかなわざるを得ない」状況を、一緒に作っていきましょう。

第五章

メモは生き方である

メモの本質は「ノウハウ」ではなく「姿勢」である

①メモの価値や具体的なとり方、②メモの中核を成す「抽象化」の方法、③抽象化スキルを活かした自己分析の方法、そして④自己分析で気づいた夢をかなえるための方法について、ここまで4章をかけて説明してきましたが、ありがたくもここまで読み進めてきてくださった方の中には、「確かに言っていることはわかるけど、ここまでできない……」という方もいると思います。それでも、問題はありません。メモをとる上で大切なのは、シンプルに「とにかく書くこと」です。メモとは「ノウハウ」ではなく「姿勢」である、と、本書冒頭でもお伝えしましたが、まずは何よりも、①メモできる環境を整え（要は好きなメモ帳・ノートとペンを用意することです）、②ひたすらメモをとる。一旦、ここから始めてみてください。

勝負は、書くか書かないか。もはやこれは、テクニックの問題ではなく、自分の人生とどれだけ真剣に向き合うかという、「生き方」の問題なのです。

あるとき、堀江貴文さんが、スマホ内のメモアプリに書き溜めたメモを見せてくれたことがあります。そこには、驚くほど膨大な量のビジネスアイデアが箇条書きで書かれていました。そこにはメモのルールなど一切ありません。ただひたすら「A×B」といったような、掛け合わせによるビジネスアイデアが羅列されていました。

「ビジネスアイデアなんて、そうそう思いつかないし……」と感じるビジネスパーソンの方もいるかもしれません。でも、それすら最初は、無理に自分を追い詰める必要がないと思います。堀江さんのメモを改めてよく見てみると、その中には、「涙《なだ》そうそう－《マイナス》3」という記述がありました。おそらく、カラオケをしている最中に、自分が最も気持ち良く「涙そうそう」を歌えるキーをメモしたのでしょう。それ以上でも以下でもない、そんなことからでもよいのです。そんなことを記憶している脳のスペースがあったら、もっと意味のある別のことを覚えたり、新しいアイデアを生むことに使ったりしたい、という脳の使い方に対する貪欲な姿勢を持つことです。また、未来において何がアイデアにつながるかも今は判断がつかないので、少しでも多くのアイデアの種をインプットしておくのです。この飽くなき姿勢が、価値ある情報のインプットや抽象化、転用につながっていきます。

メモで「創造の機会損失」を減らす

「メモをとらないと忘れてしまうことは重要ではないから、覚えておく必要はない」「記憶のスクリーニングにかけたほうがいい」という説があります。

僕は、現時点では、その説には懐疑的です。

完全に創造性だけが問われるような右脳に寄った仕事をされている方は、この限りではなく、むしろ忘却によって自分の感性が研ぎ澄まされる、ということもあると思います。「自分が覚えていることこそが表現すべき概念であって、忘却スクリーニングでろ過をして表現に昇華する」という方向性です。

しかし、左脳と右脳を両方駆使して、問題解決や知的生産に向き合い続ける仕事をしている場合、メモは避けて通るべきではない、必要不可欠な魔法のツールだというのが僕の考え方です。

新たな創造につながるような情報は、実は生活のあらゆるところに転がっています。しかし、前項でも少し触れた通り、「未来において、過去のどの情報が重要になるか」なんて、実際に未来にならなければ判断できません。「明日何が大切な情報になるか」

は、今日はわからないのです。

　今日の時点で、例えば、たまたま見た街の様子や、同僚の何気ない一言、取引先とした世間話、などといったことの中に、とても重要な情報が眠っていた、というのが、1年後にわかるかもしれません。

　それを拾っておかずに、完全に記憶のみに頼っている人は、当然、思い出せませんからそこから新しいアイデアにはつなげられないし、そもそも「覚えておく」ことに脳のスペースを割くわけですから、相応の機会費用を払うことになります。

　メモは、「創造の機会損失」を減らすツールです。このツールをうまく使うコツは、とにかく体中の毛穴をむき出しにして、あらゆる情報を体に吸収させる姿勢を保つこと。すなわち、「メモをとり続ける姿勢」を保つことが、重要なのです。

いち早くメモを「努力」から「習慣」へ

　では、どうすればメモをとり続けることができるのでしょうか？

　メモは、すぐに結果に結びつくようなものではないかもしれません。のちのち確実に大きな財産になるのですが、一朝一夕には効果は現れない。なので人によっては、すぐにメモすることに飽きて、やめてしまうかもしれません。

では、もともと極めて普通の人間である僕が、なぜここまで狂気的な分量のメモをとることができるのか。僕にとってメモをとることは、もはや「努力」ではなく、「習慣」だからです。

朝も昼も晩もお経を唱えているお坊さんがいるかもしれません。毎日バットの素振りを数時間続ける野球選手がいるかもしれません。走り込みを1日5時間も6時間も行うマラソン選手がいるかもしれません。これらは、傍《はた》から見たらすごい努力や修業に思えるかもしれませんが、すべて彼ら、彼女らの中で「習慣になってさえいれば」、それほど大変なことではありません。習慣化できていれば、むしろ「やらないと不安になる」のです。よって、「努力から習慣へ」という意識を持つことが大切なのです。

習慣化するためには、最初は大きな努力が必要かもしれません。でも、一度習慣になってしまえば、それが当たり前になるので、そこからは努力は必要なくなります。

「歯磨き」は圧倒的な努力でしょうか？　そんな人はいないでしょう。朝起きて、洗面所に行ったらスッと無意識に手が動いて、気づいたら歯を磨き始めているはずです。

僕にとってメモすることは、歯磨きと同様です。いや、もはや、息を吸って、吐き出すくらいの物凄く自然な感覚で、メモをとっています。

「なんであの看板は、赤い地に白字なんだろう?」「この広告はどうして、こういう表現を選んだのだろう?」など、多くの人が気にも留めないようなことをつらつらと書き続けます。1日の終わりには、スマホのメモが何スクロールしてもなかなか最後にたどり着けないくらいの量になります。これだけ見た人は「物凄い努力ですね」と言ってくださるのですが、努力しているつもりはほとんどなくて、気づいたらそれだけの思考プロセスを経ている、ということなのです。この、「習慣の境地」にたどり着いたら、本当に強いです。

メモを習慣化するためのコツ

「努力」から「習慣」にするためには、まず何よりも、持っているだけでテンションが上がったり、嬉しくなったりするノートやメモ帳を買うところから始めましょう。細かいことに思えるかもしれませんが、メモをとっている自分を好きになってしまうような、とっておきの文具を揃えることも、モチベーションを継続するためには非常に重要です。僕は個人的に、モレスキンのハードカバーノートが大好きなので、10年以上常に持ち歩いています。社会人の最初の頃に、「自分の心が上がる文具を買いなさい。こんなに費用対効果の高い投資はないよ」とお勧めされて以来、ずっと使い続けています。

加えて、メモすること自体がストレスにならないように、「間違えてもいいんだ」という、軽い心持ちでメモをすることも重要です。僕はボールペンで書きますが、どうしてもボールペンだと間違えるのが怖い人は、鉛筆やシャープペンシルを活用しても良いでしょう。ノートの使い方も、「こうでなくてはいけない」と自分を追い詰めないでください。そもそも、ノートでなくても構いません。ナプキンやチラシの裏に走り書きをしても良いのです。あくまで自由に、まずは書いてみる。間違ってもいいんだ、自分のやり方が正解なんだ、書くことが一番大事なんだ。そう思って、肩の力を入れすぎないことも、習慣化するためのコツです。

また、より抽象的なコツにはなりますが、小さくてもいいから成功体験を積む、というのも大切です。メモのとり方をほめられるとか、「そんなにメモをとるんですか？」とポジティブに驚かれるなど、なんでもいいのです。「僕、すごくメモをとってるんです」と伝えて、誰かに自分のメモ帳を見てもらってもいいかもしれない。そういった、些細でちょっとした成功体験が、努力の継続をもたらし、最終的には習慣化につながります。

僕はおそらく、多くの人に「メモ魔」として認知されているので、もはや、どこにいっても、好むと好まざるとにかかわらずメモをとらざるを得ない状態になっています。先日も、ある会社の社長とご飯を食べていると、「あれ、メモはとらないんですか？　いつも通りとっていいですからね」と言われました。ここまで来ると嫌でも永遠に行動せざるを得ない（笑）。いわば、良い意味で、「習慣の奴隷」になっているわけです。

メモは、呪文によく似ています。深く考えずとも、もはや一つの行動様式として、ある一定のリズムで日々続けていると、自分の意識に自然に目が向くようになっていきます。そうすれば、自信もついてくる。とにかく呪文を唱えるように、メモをとりまくる。行動様式としてメモを体に染み込ませたら、メモの効用なんて意識せずとも、勝手に結果がついてきます。やはりここでも、物量がものを言うのです。

シャワー中にアイデアが浮かぶ理由

メモをとることが習慣化できてきたら、今度は、知的生産メモ本来の目的である、アイデア創出を習慣化していきましょう。そのために抽象化を習慣化すると良い、というのは、第二章でお伝えしてきましたが、もっと大本のところで大事な考え方があります。それは、脳内のインプットとアウトプットの比率、です。

アイデアを生み出す上で、一見、インプットが重要であるように思われがちです。新規事業を作れ！　と言われたら、まず世の中のうまくいっているスタートアップ界隈のビジネスモデルや情報を集める。もちろんこれ自体は悪いことではなく、アイデア創出の種を摘んでいっているのですが、時々、全くインプットのできない「インプット０環境」に適切なバランスで身を置くと、アイデアが出やすくなります。

つまり、脳内のインプットとアウトプットの比率が、アウトプット側に寄ったときに、アイデアが出ると考えています。これがどういうことかというと、例えば、お風呂に入るときをイメージしてください。スマホを持たないで入ったら１００％脳内でアウトプットするしかありません。インプットするような浴室内の情報はほとんどなく、そういった場では、脳が自然と、自分から何かを生み出そう、と、活性化するのです。

よく、シャワーのときや寝る前にアイデアを思いつくと言いますが、あれは「脳内の比率をアウトプット側にむりやり寄せているから」なのです。インプットを受けている間は、そこに一定の意識やアテンションが割かれてしまうので、なかなかアウトプットには集中し切れません。

あなたの「人生の勝算」は何か

あなたは今、何をしているときが一番楽しいですか？
あなたは今、何を目標に生きていますか？

このように、人生のモチベーションの根幹に関わることを質問されたとき、パッと即答できる状態のことを、２０１７年に出した拙著タイトルにかけて、「人生の勝算がある」、と僕は表現しています。

みんな、勉強をしていたり、仕事をしていたり、無意識で日常的にやっていることがあると思います。そしてその中で一生懸命がんばって、成果を出そうとしていると思います。それ自体は本当に尊いことですし、僕は心から、がんばっている人を応援したいと思っています。

ただし、今向き合っていることが必ずしも、自分にとって本当に幸せなことかどうかはわかりません。それは、単に、目先の追われている「試験の勝算」であったり、「ビジネスの勝算」であって、「人生の勝算」ではないかもしれない。「ビジネスに勝つと自分は幸せになれる」ということがわかっていない状態で、やみくもに自分の人生の時間をビジネスに全賭けしていては、危険です。

皆さんには、メモ、そして抽象化という強力なツールを使って正しく自己分析を行って、本当の意味で、人生の勝算を見つけてほしい。

例えば、サッカーのワールドカップを見て、無性にワクワクして仕事が手につかない自分がいたとします。その自分から、決して目を背けないでください。貴重な意識の萌芽を、見過ごさないでください。この本の中で紹介してきたようなやり方を活用して、もう少しだけ、深く考えてみてほしいのです。もしかしたら、「自分は、ライブエンターテイメントに関わりたいんじゃないか」ということが見えてくるかもしれない。あるいは、「サッカーチームの経営に回ったら心底楽しそうだ」と気づくかもしれない。

人生は、素晴らしいものです。本当に、無限の可能性があります。必ずしも、今皆さんが向き合っていることがすべてではない。無限の選択肢の中で、自分の人生の幸せを最大化するものが一体何なのか、考えてみてほしいのです。

「やりたいことが見つからない」は本当か

自分の人生のコアとなる人生の軸を考えていった結果、あまり表では言いたくない不健全なものだったので、がっかりしている。そういう場合はどうすればいいでしょうか?

まず一つお伝えしたいのは「別に、誰にも言わなくてもいい」ということです。価値観は人それぞれ、多種多様であり、その中には、やすやすと他人に言えないようなものもあると思っています。どうしても言わざるを得ない場面になったら、この本で学んだことを生かして抽象的に表現すれば良いでしょう。誰にも言わない前提で、やりたいことを洗い出してみてください。絶対に、どうしたって絶対に、やりたいことはあるはずです。

若い子にモテたい、お金が○○億円欲しい、社会的な名声が欲しい、良い車に乗りたい……。本当に、なんでも良いのです。

これらは一見、不純な動機のように見えますが、僕はむしろ、欲望を持っているということは、人間らしくてすごくいいと思います。欲望を失ったら、人が人でなくなります。そして、欲求は階層状になっているので、これらの欲求をクリアしたら、また高次の欲求にシフトしていくでしょう。

心からモチベーションが湧く努力の対象を見つけて、結果を出す。それを達成する頃には、また別の動機を持っていると思います。まずは卑近な、自分が心から欲する欲望に目を向けてみましょう。

あなたは何に突き動かされているか

巻末の特別企画で、「人生の軸」を集めています。これは、ＳＮＳでみんなの人生の軸を募集して、それらを本に載せてしまおう、という企画です。これによって、僕一人が著者、ということではなくて、皆と一緒になって、一つの本を生み出せる。また、自分の人生の軸を考える上で、他の人が一番大事にしてる価値観を例えば１０００件見られたら、効率が一気に上がる。他の人の軸を知ることによって、自分の軸を考えるきっかけにもなるはず、そう思って掲載しています。これらを見つつ、ぜひ皆さん自身も、ご自身の人生の軸を、自分が何に突き動かされているのかということを、考えてみてほしい。これまでの人生を振り返ってみたときに、幸福度という観点で、「あの瞬間が一番楽しかった」「あの時間が最高に幸せだった」と思えるのは何なのかを考えてみてほしいのです。当然、人生の軸は人によって違うと思います。

ある人は、おいしいご飯を好きな仲間と食べながら、未来について、夢について語り合う瞬間が、自分にとって一番楽しいんだ、と言っていました。だから、その人にとっては、その食事と語らいの時間自体が、自分の人生の幸福度を最大化するための勝算なのです。それがわかっていることは、すごく強いです。

人生とは、イベントの積み重ねです。

スケジュールを、スケジュール帳以上に細かく見ていくと、例えば、「朝起きる→顔を洗う→歯を磨く→10分間テレビを見る→軽くストレッチする→着替える……」など、非常に細かいイベントの連続によって成り立っています。これらのイベントを積み重ねるときには必ず何らかの尺度によって、意思決定が成されているはずですが、その尺度が、自分の人生の軸に関連・依拠していなくてはなりません。例えば10分の時間を与えられたときに、Twitter や Instagram などのＳＮＳを見るのか。友達に電話をかけるのか。本を読むのか。ＰＣを開くのか。ぼーっとするのか。この意思決定の向きは、本来、自身の価値観の軸、つまり人生のコンパスによって指し示されるべきだと思っています。

人生は「時間をどう使ったか」の結果でしかありません。ならば「時間をどう使うのか」というところで、自分の人生の勝算につながる選択をすべきです。すべては、これからのあなたの選択にかかっているし、その選択の前提となる人生の軸を自己分析によって得ていることは、大変な強みになります。

「メモ魔」になる準備ができているか

メモをとり続けてきて、人生をより良く、強く生き切るために必要な相当量のノウハウが、僕自身の中にすごい勢いで溜まってきたし、今後も溜まっていくであろうという感覚があります。ここまで本書を通じてその一端をお伝えしてきましたが、本当はもっと、たくさん伝えたいことがあります。が、自分が抽象化した気づきや転用可能な学びを伝える作業には、現実にはかなりの時間を要しますし、もはやキリがないと思っています。それよりも、「どうしてそんな量のノウハウが自分の中に蓄えられていったのか」ということ自体を考えることのほうが本質的な気がして、本書を書き終える前に、ペンを止めて冷静に客観視してみました。そうすると、シンプルな一つの答えに行き着きました。

それは、「熱」です。

ふつふつと煮え滾って今にも爆発してしまいそうな、マグマのような熱です。これを根源に持っていれば、ただノウハウを知るだけではなくて、自ら生み出していくことができるようになります。ノウハウ本を読んだだけでは終わらず、抽象化したり、自分ごとにして、再生産できるようになります。その源にあるのは、やはり圧倒的な熱量です。「絶対この試験に受かりたい」「満点をとりたい」「この仕事につきたい」「この企画を、事業を立ち上げたい」といった、誰にも止められないような、内から湧き出てくる強い願望です。その意味で、やはり大切なのは、表層的なテクニックではなく、「なぜやるのか」「何のためにやるのか」という根っこの部分だと思っています。

自分は根底で何を願っているか、この自己理解が進むと、日々をただ漫然と過ごすのではなく、目の前の取るに足らない何かをアイデアに変えたり、夢の実現に前のめりに生きることができます。受け身で生きるのではなく、楽しみながら、自分からとりに行く。そういうスタンスを持つと人生は一気に楽しくなります。

毎日、僕は、膨大な量の抽象化をしています。それによって、受け止め切れないような、異常な分量の気づきが、今日も蓄積していっています。僕から皆さんへ、Twitterや、オンラインサロンなどの媒介を通じて、それらをお伝えすることはできます。が、それをただそのまま僕から吸収してコピーするだけでは、どこかのタイミングで限界が来るでしょう。ご自身のオリジナリティを掛け合わせなくてはならないとき、はたまた、より長い目で継続性を保たねばならないと気づいたときに、最後に勝負を分けるのが、熱の大きさです。その熱の光が、すべてに通ずる道を照らします。

熱は、言語を通じても伝導します。言葉が媒介となって、熱が運ばれ、その伝達された熱によって人が動くこともあります。実は、僕があまりにメモに熱を上げているので、周囲の大切な人たちも、どんどんメモをするようになってきています。身近なところ以外でも、知らない間に前田式メモ術というワークショップを開いてくださっている方が出てきたり、先日は『ニシノコンサル』というAbemaTVの番組の中で、ゲストがやたらとメモをとっているので、「メモとりまくっていて最高ですね！」と言ったら、「前田さんの真似です！」と言っていました。

もはや僕自身が「メモ魔ですね」と言われてもそこまで驚きや喜びがなくて、むしろ一番嬉しいのは、僕の周りの方々に僕の熱が伝わって、メモの魔力が伝染することです。その方々が「メモ魔ですね」と言われているのを目の当たりにするとき、本当に嬉しい気持ちになります。なぜなら、これから彼らの人生が変わるのが目に見えてわかるから。だから、これからも、どんどん熱を伝えていきたいと思っています。

ちなみに、熱は高温側から低温側へ伝わります。両者の温度が等しいと、熱移動は起こりません。よって、最後に、最高・最強に熱い気持ちを込めて、心からのメッセージを送ります。

今、このページを見つめている皆さん、あなたは、明日を強く生き抜くための「熱」を、持っているか。「ペン」を、持っているか。「メモ帳」を持っているか。

そして、この本を閉じたあとに、「メモ魔」になる心の準備は、できているか。

メモの魔力を手にしたメモ魔が、一人でも増えますように。
メモの力で、より良い、幸せな人生を送れる人が、少しでも増えますように。
そうして、この世界の幸せの総量が、少しでも増えますように。

何より、世の中全体、以上に、今この瞬間、僕と対話してくれている「あなた」に、
メモが必ず本当の幸せを運んできますように。

最高の「メモ魔」ライフを！

終章

ペンをとれ。メモをしろ。そして人生を、世界を変えよう

思い返せば、ノートを綺麗に書いてまとめるのが小さい頃から大好きでした。

そんな僕のメモ術の原体験は、小学校時代にあります。僕は、8歳のときに両親を亡くしました。10歳離れた兄と二人兄弟だったのですが、その頃18歳だった兄は、医者になる夢を捨てて、すぐに働き出して僕を養ってくれました。それでも、母親の死が強烈な傷跡となって、小学校高学年までちょっと心が擦れていた僕は、兄に迷惑をかけることが多く、勉強にもあまり真剣に取り組めていませんでした。小5の終わりには、兄を大きく悲しませるような出来事もありました。それ以来、「兄を喜ばせたい」と強烈に思うようになり、それ自体が生きる原動力になりました。そんな中で、彼を喜ばせるためにとった打ち手が、「勉強すること」、そして、「メモをノートにとにかくたくさんとって、綺麗にまとめて見せること」でした。

兄や先生に喜んでもらえることが嬉しくて、びっしり書いたメモ帳を開いては見せていました。授業中に気づいたことを書き込んだノートには、あとで綺麗にシールを貼ったり、色分けしたり、自分なりのルールを作って、まとめていました。ノートを見せる度、本当に本当に嬉しそうな顔をして、手放しで喜んでくれました。小学校6年生のときに担任をしてくれていた吉野先生に至っては、僕がまとめたノートを学校中のあらゆる場所で開いて、「みんな、前田くんのノートを見習って！」と言って回ってくれた。今考えれば、僕のノートが本当に優れていたのかどうかは、もはやわかりません。もしかしたら、両親を亡くして、塞ぎ込んで友達もあまりいなかった僕に対して、励ましたいという必死の想いでそんな行動をとってくれたのかもしれません。当時、先生が僕に向けてくれた愛情や思いやりを想像するだけで、こうして文章を書いていて、少し涙が出てきます。先生が誇らしげに僕のノートを広げている映像が、ずっと脳裏に焼き付いています。この本を読んでくれているか、いや、そもそも僕を覚えてくれているかすらわかりませんが、吉野先生、本当にありがとう。

そんなことを考えると、本当に、“Pay Forward”していかなくてはな、と思います。つまり、彼らが僕にしてくれたように、僕もみんなのメモを実際に見て、よければ全力で、手放しで賛辞を送りたいと、切に思います。ぜひ、Twitter や Facebook、

Instagramなどのでどんどんメモを上げて、僕宛にメンションを飛ばしてください。なるべくそのすべてに反応していきたいと思っています。皆さんにとっての「吉野先生」に、僕自身がなります！

あと、もう一つ。

きっと、この本を読んでくださった方は、「この人ちょっと狂ってるな……」と思ったかもしれない。「なんでここまでやるの？」と思ったかもしれない。

ここまでついてきてくれた皆さんとは、少しでも心を通わせたいので、僕のある種人生の恥部とも呼べるコンプレックス体験を、もう一歩踏み込んで、詳《つまび》らかにしたいと思います。メモに対する僕自身の熱の源を考えたときに、一番に思い浮かんできた映像があります。

それは、「黒板の前に佇む一人の少女の姿」です。

小学生のとき、物凄く勉強ができる同級生の女の子がいました。その子は、地域でも最も頭が良い子たちが通うとされる塾に行っていて、お金がなくて塾には絶対に行けなかった当時の僕は、どうひっくり返っても、学力で勝てなかった。

あの頃の僕は、彼女のことが、憎くて仕方なかった。
彼女は、何も悪いことをしていない。
むしろとても素直で良い子なのにもかかわらず、です。

おそらく、僕は、狂おしいくらいに、頭がおかしくなりそうなくらいに、承認欲求の塊になっていたのです。地球上で一番愛していた母親を亡くし、愛されることに飢え、自分よりも愛されているように見える他の誰かが、羨ましくて羨ましくて、仕方なかった。なんだかすごく、醜い感情ですよね。でも、事実です。本当に、悔しかった。

「生まれた場所によって、愛されるかどうかが決まってしまうのか」
「環境に恵まれていたというだけの子に、どうして僕が負けているんだろう」
「お母さんが死んだのだって、貧乏なのだって、僕のせいじゃない」
「なんで世界は、僕を愛してくれないんだろう」

毎晩、惨めで仕方なくて、本当に来る日も来る日も、夜になると悔しさに咽《むせ》び泣いていました。

そんな僕が、その子に勝つために始めたのが、「メモをとること」でした。この『終章』の最初で、僕は、「兄や先生を喜ばせるため」と書きました。それは、嘘ではありません。でも、書いていて、ちょっとだけ、罪悪感に苛まれました。なので、葛藤したのですが、もともとは書く予定でなかった告白を、書くことにしました。自分の当時の心の奥底を見つめてえぐり出すと、多分それは、「兄を喜ばせる」なんて崇高で利他的なものではなかった。むしろ、「自分が愛されるため」という、とても利己的な欲求に根ざした行動だったんじゃないか、とも思うのです。

授業中にメモをたくさんとると、先生や周りの人たちが、自分に目を向けてくれることに気づいたのです。そして僕は、メモを自分の武器にして、先生を、大人を、振り向かせようとしました。次第に、周りの反応が変わり始めました。彼女よりも注目されることも増えました。認められる楽しさを覚えました。

実は、僕の前には、まだあの頃の女の子の姿が時々現れます。そして、未だに、黒板の前で、まだみんなが習っていない新しい学習項目を説明し始める。

眠っている間の夢ではなくて、現実で夢を見るんです。映像が、ふっと頭の中で再生されるんです。これはもう、12歳の頃からずっと、離れません。そして、僕の頭に焼き付いた映像の中では、彼女の後ろに悪魔がいるんです。「君はいくらがんばっても無駄だよ」と言わんばかりの皮肉な笑顔を浮かべて、運命の悪魔が僕のほうを見て嘲笑っているんです。


僕は、その悪魔を倒すために、ペンを手にとりました。

メモという魔力を手に入れました。

自分よりも優秀に見えて仕方なかったその子を、「メモ」という軸で超えることで、運命に抗いました。

ふざけているように聞こえるかもしれませんが、当時の僕は、大まじめです。


正直この話は、書くかどうか、最後まで悩みました。自分の中では、こうして皆さんに説明することがちょっと憚られるくらいに、相当恥ずかしく表に出したくない感情だったからです。でも、こんな原点でもいいんだ、ということを伝えたくて、あえて言います。

こういった僕自身の人生における様々な感情が渦巻いて覚えたメモ術なので、そのすべてを渾身の想いでお伝えしているこの本には、本当に何らかの魔力が備わっていると信じています。重い……と思うかもしれないですが、どうか、ほんの欠片でも良いので、受け取ってくれたら嬉しいです。

本書を通じて、多くの方法論を語ってきました。「前田は抽象化とかWhy型とか、何だか小難しいことを言っているな」と感じられたのであれば、それすら、一旦忘れていただいて構わない。でも、本当に、全身全霊で、メモで皆さんの人生が良くなるように、という熱を込めて書きました。この熱さだけは、メモをとることに対する熱量だけは、皆さんと共有し合っていきたい。熱量を上げ、自分を変え、さらにはそれを誰かに伝え、広めていってほしい。メモを最強の相棒にすることで、皆さん自身の人生を、そして付随するこの世界を、本気で変えていってほしい。

僕にとって、メモとは生き方そのものです。
メモによって世界を知り、アイデアが生まれる。
メモによって自分を知り、人生のコンパスを持つ。
メモによって夢を持ち、熱が生まれる。

その熱は確実に自らを動かし、人を動かし、そして人生を、世界を大きく動かします。

今この瞬間、本書をここまで読んでくださった皆さんは、読む前とは別人になっています。メモという強大な魔力を身につけて、今までの何倍もの力が発揮できる状態になっています。戦士から魔法使いになったような感覚で、今まで倒せなかったモンスターもすんなり倒せるようになっていることに気づくでしょう。「あれ、こんなにスムーズにアイデアが出るのか、問題解決できるのか」と思うこともあるでしょう。

これは、すごいパワーです。

このいっときの魔力に慢心せず、また、悪用せず、ぜひメモを正しく、ずっと使い続けてほしい。これからの皆さんの生き方の中に、メモを染み込ませていってほしい。そして、メモに対して同じ熱量や気持ちを共有する同志が、少しでも増えていってほしい。これが僕の願いです。

僕も皆さんに負けていられないので、ここからさらにギアを上げて、もっと異常なまでの熱量でメモをとって、世界を獲る。そういった覚悟です。

最後に。本書を読んでくれたあなたの夢が、本当にかないますように。メモの魔力を手に入れたあなたに、幸せが訪れますように。

メモとは、生きること。あなたのメモを、そして、メモで変わったあなたの人生を眼前にするその歓喜の瞬間を、心から待ちわびてやみません。メモの魔力が僕らを引き合わせてくれる、その日まで。

The Magic of Memos
Yuji Maeda

自分を知るための
【自己分析 1000問】

ここに1000問の「自分を知るための問い」を用意しました。①～⑩までのレベルに分けてあります。レベルが進むほど具体度が高くなっていきます。

答える際は、ノートを見開きで使用します。左上に問いを書き、左ページにはそれに対する具体的な答え、ファクトを書きます。そして右側でそのファクトを抽象・転用していきます。（P39～参照）

ノートの準備はできましたか？
人生が向かうべき方向を指し示す軸を見つける旅に出ましょう！

	51	あなたの信念は何か？
未来	52	30代になったときどんな仕事をしたいか？
	53	30代になったときの地位は？
	54	30代になったら、世の中にどんな影響を与えている？
	55	30代の年収は？
	56	何に優先的にお金を使いたいか？
	57	30代になったらどこに住みたいか？
	58	30代のライフスタイルは？
	59	30代で新たにチャレンジしたいことは何か？
	60	30代は、周りからはどのような役割を期待されているか？
	61	40代になったときどんな仕事をしたいか？
	62	40代になったときの地位は？
	63	40代になったら、世の中にどんな影響を与えている？
	64	40代の年収は？
	65	何に優先的にお金を使いたいか？
	66	40代になったらどこに住みたいか？
	67	40代のライフスタイルは？
	68	40代で新たにチャレンジしたいことは何か？
	69	40代は、周りからはどのような役割を期待されているか？
	70	50代になったときどんな仕事をしたいか？
	71	50代になったときの地位は？
	72	50代になったら、世の中にどんな影響を与えている？
	73	50代の年収は？
	74	何に優先的にお金を使いたいか？
	75	50代になったらどこに住みたいか？
	76	50代のライフスタイルは？
	77	50代で新たにチャレンジしたいことは何か？
	78	50代は、周りからはどのような役割を期待されているか？
	79	何歳まで働いていたいか？
	80	そのとき、どんな地位にいたいか？
	81	そのとき、世の中にどんな影響を与えているのか？
	82	そのとき、資産はどのくらいあるのか？
	83	何に優先的にお金を使いたいか？
	84	そのとき、どこに住んでいるのか？
	85	そのときのライフスタイルは？
	86	新たにチャレンジしたいことは何か？
	87	周りからはどのような役割を期待されているか？
	88	死ぬまでに実現したいことは？（家族・親戚に関すること）
	89	死ぬまでに実現したいことは？（友人・知人に関すること）
	90	死ぬまでに実現したいことは？（勉強・仕事に関すること）
	91	死ぬまでに実現したいことは？（趣味に関すること）
	92	死の瞬間をどう迎えたいか？
現在	93	将来の夢は？
	94	理想の職業は？
	95	理想の人は？
	96	理想の食生活は？
	97	理想の住まいは？
	98	理想の年収は？
	99	理想のパートナーは？
	100	あなたの信念は何か？

レベル① ☞ 夢についての100問

introduction	1	なぜ自己分析をするのか、その目的は？
	2	現在の自分の「人生の軸」は？
	3	自分の夢と向き合うことで、何を得たいのか？
幼少期	4	将来の夢は？
	5	理想の職業は？
	6	理想の人は？
	7	理想の食生活は？
	8	理想の住まいは？
	9	理想の年収は？
	10	理想のパートナーは？
	11	あなたの信念は何か？
小学校	12	将来の夢は？
	13	理想の職業は？
	14	理想の人は？
	15	理想の食生活は？
	16	理想の住まいは？
	17	理想の年収は？
	18	理想のパートナーは？
	19	あなたの信念は何か？
中学校	20	将来の夢は？
	21	理想の職業は？
	22	理想の人は？
	23	理想の食生活は？
	24	理想の住まいは？
	25	理想の年収は？
	26	理想のパートナーは？
	27	あなたの信念は何か？
高校	28	将来の夢は？
	29	理想の職業は？
	30	理想の人は？
	31	理想の食生活は？
	32	理想の住まいは？
	33	理想の年収は？
	34	理想のパートナーは？
	35	あなたの信念は何か？
大学	36	将来の夢は？
	37	理想の職業は？
	38	理想の人は？
	39	理想の食生活は？
	40	理想の住まいは？
	41	理想の年収は？
	42	理想のパートナーは？
	43	あなたの信念は何か？
社会人（20代）	44	将来の夢は？
	45	理想の職業は？
	46	理想の人は？
	47	理想の食生活は？
	48	理想の住まいは？
	49	理想の年収は？
	50	理想のパートナーは？

高校	51	コンプレックスだったことは？
	52	一番大事にしていたものは？
	53	一番疎かにしていたものは？
	54	空気を読むタイプだったか？読まないタイプだったか？
	55	他人のアドバイスを聞くタイプだったか？
	56	物事に対する捉え方はポジティブだったか？ネガティブだったか？
	57	家族に言われて影響を受けたことは？
	58	運は強いほうだったか？
大学	59	自分の性格を表す出来事は？
	60	座右の銘は？
	61	自分の好きだったところは？
	62	自分の嫌いだったところは？
	63	自分の尊敬できたところは？
	64	よく友人と話していたことは？
	65	コンプレックスだったことは？
	66	一番大事にしていたものは？
	67	一番疎かにしていたものは？
	68	空気を読むタイプだったか？読まないタイプだったか？
	69	他人のアドバイスを聞くタイプだったか？
	70	物事に対する捉え方はポジティブだったか？ネガティブだったか？
	71	家族に言われて影響を受けたことは？
	72	運は強いほうだったか？
社会人（20代）	73	自分の性格を表す出来事は？
	74	座右の銘は？
	75	自分の好きだったところは？
	76	自分の嫌いだったところは？
	77	自分の尊敬できたところは？
	78	よく友人と話していたことは？
	79	コンプレックスだったことは？
	80	一番大事にしていたものは？
	81	一番疎かにしていたものは？
	82	空気を読むタイプだったか？読まないタイプだったか？
	83	他人のアドバイスを聞くタイプだったか？
	84	物事に対する捉え方はポジティブだったか？ネガティブだったか？
	85	家族に言われて影響を受けたことは？
	86	運は強いほうだったか？
現在	87	自分の性格を表す出来事は？
	88	座右の銘は？
	89	自分の好きなところは？
	90	自分の嫌いなところは？
	91	自分の尊敬できるところは？
	92	よく友人と話していることは？
	93	コンプレックスは？
	94	一番大事にしているものは？
	95	一番疎かにしているものは？
	96	空気を読むタイプか？読まないタイプか？
	97	他人のアドバイスを聞くタイプか？
	98	物事に対する捉え方はポジティブか？ネガティブか？
	99	家族に言われて影響を受けていることは？
	100	運は強いほうか？

レベル② ☞ 性格についての100問❶

introduction	1	前回の100問に答えたことで、得たものは何か？
	2	自分の性格と向き合うことで、何を得たいのか？
幼少期	3	自分の性格を表す出来事は？
	4	座右の銘は？
	5	自分の好きだったところは？
	6	自分の嫌いだったところは？
	7	自分の尊敬できたところは？
	8	よく友人と話していたことは？
	9	コンプレックスだったことは？
	10	一番大事にしていたものは？
	11	一番疎かにしていたものは？
	12	空気を読むタイプだったか？読まないタイプだったか？
	13	他人のアドバイスを聞くタイプだったか？
	14	物事に対する捉え方はポジティブだったか？ネガティブだったか？
	15	家族に言われて影響を受けたことは？
	16	運は強いほうだったか？
小学校	17	自分の性格を表す出来事は？
	18	座右の銘は？
	19	自分の好きだったところは？
	20	自分の嫌いだったところは？
	21	自分の尊敬できたところは？
	22	よく友人と話していたことは？
	23	コンプレックスだったことは？
	24	一番大事にしていたものは？
	25	一番疎かにしていたものは？
	26	空気を読むタイプだったか？読まないタイプだったか？
	27	他人のアドバイスを聞くタイプだったか？
	28	物事に対する捉え方はポジティブだったか？ネガティブだったか？
	29	家族に言われて影響を受けたことは？
	30	運は強いほうだったか？
中学校	31	自分の性格を表す出来事は？
	32	座右の銘は？
	33	自分の好きだったところは？
	34	自分の嫌いだったところは？
	35	自分の尊敬できたところは？
	36	よく友人と話していたことは？
	37	コンプレックスだったことは？
	38	一番大事にしていたものは？
	39	一番疎かにしていたものは？
	40	空気を読むタイプだったか？読まないタイプだったか？
	41	他人のアドバイスを聞くタイプだったか？
	42	物事に対する捉え方はポジティブだったか？ネガティブだったか？
	43	家族に言われて影響を受けたことは？
	44	運は強いほうだったか？
高校	45	自分の性格を表す出来事は？
	46	座右の銘は？
	47	自分の好きだったところは？
	48	自分の嫌いだったところは？
	49	自分の尊敬できたところは？
	50	よく友人と話していたことは？

高校	51	性格は外交的だったか？内向的だったか？
	52	コミュニケーションは得意だったか？苦手だったか？
	53	初対面の人でも、気軽に打ち解けられたか？
	54	一人でいるのが好きだったか？複数人といるのが好きだったか？
	55	人の良い点を見つけることが多かったか？悪い点を見つけることが多かったか？
	56	一番仲の良かった友人の好きなところは？
	57	無人島に一つだけ持って行くとしたら何を選んだ？
	58	無人島に一人だけ連れて行くとしたら誰を選んだ？
大学	59	自分の性格を一言で表すと？
	60	自分の長所はどこか？
	61	自分の短所はどこか？
	62	父親と母親、どちらに似ていた？
	63	自分の強みだったと感じるところは？
	64	自分の弱みだったと感じるところは？
	65	性格は外交的だったか？内向的だったか？
	66	コミュニケーションは得意だったか？苦手だったか？
	67	初対面の人でも、気軽に打ち解けられたか？
	68	一人でいるのが好きだったか？複数人といるのが好きだったか？
	69	人の良い点を見つけることが多かったか？悪い点を見つけることが多かったか？
	70	一番仲の良かった友人の好きなところは？
	71	無人島に一つだけ持って行くとしたら何を選んだ？
	72	無人島に一人だけ連れて行くとしたら誰を選んだ？
社会人（20代）	73	自分の性格を一言で表すと？
	74	自分の長所はどこか？
	75	自分の短所はどこか？
	76	父親と母親、どちらに似ていた？
	77	自分の強みだったと感じるところは？
	78	自分の弱みだったと感じるところは？
	79	性格は外交的だったか？内向的だったか？
	80	コミュニケーションは得意だったか？苦手だったか？
	81	初対面の人でも、気軽に打ち解けられたか？
	82	一人でいるのが好きだったか？複数人といるのが好きだったか？
	83	人の良い点を見つけることが多かったか？悪い点を見つけることが多かったか？
	84	一番仲の良かった友人の好きなところは？
	85	無人島に一つだけ持って行くとしたら何を選んだ？
	86	無人島に一人だけ連れて行くとしたら誰を選んだ？
現在	87	自分の性格を一言で表すと？
	88	自分の長所はどこか？
	89	自分の短所はどこか？
	90	父親と母親、どちらに似ている？
	91	自分の強みだと感じるところは？
	92	自分の弱みだと感じるところは？
	93	性格は外交的か？内向的か？
	94	コミュニケーションは得意か？苦手か？
	95	初対面の人でも、気軽に打ち解けられるか？
	96	一人でいるのが好きか？複数人といるのが好きか？
	97	人の良い点を見つけることが多いか？悪い点を見つけることが多いか？
	98	一番仲の良い友人の好きなところは？
	99	無人島に何か一つだけ持って行くとしたら？
	100	無人島に誰か一人だけ連れて行くとしたら？

レベル③ ☞ 性格についての100問❷

introduction	1	前回の100問に答えたことで、得たものは何か？
	2	自分の性格をより深く知ることで、自分をどう変えたいか？
幼少期	3	自分の性格を一言で表すと？
	4	自分の長所はどこか？
	5	自分の短所はどこか？
	6	父親と母親、どちらに似ていた？
	7	自分の強みだったと感じるところは？
	8	自分の弱みだったと感じるところは？
	9	性格は外交的だったか？内向的だったか？
	10	コミュニケーションは得意だったか？苦手だったか？
	11	初対面の人でも、気軽に打ち解けられたか？
	12	一人でいるのが好きだったか？複数人といるのが好きだったか？
	13	人の良い点を見つけることが多かったか？悪い点を見つけることが多かったか？
	14	一番仲の良かった友人の好きなところは？
	15	無人島に一つだけ持って行くとしたら何を選んだ？
	16	無人島に一人だけ連れて行くとしたら誰を選んだ？
小学校	17	自分の性格を一言で表すと？
	18	自分の長所はどこか？
	19	自分の短所はどこか？
	20	父親と母親、どちらに似ていた？
	21	自分の強みだったと感じるところは？
	22	自分の弱みだったと感じるところは？
	23	性格は外交的だったか？内向的だったか？
	24	コミュニケーションは得意だったか？苦手だったか？
	25	初対面の人でも、気軽に打ち解けられたか？
	26	一人でいるのが好きだったか？複数人といるのが好きだったか？
	27	人の良い点を見つけることが多かったか？悪い点を見つけることが多かったか？
	28	一番仲の良かった友人の好きなところは？
	29	無人島に一つだけ持って行くとしたら何を選んだ？
	30	無人島に一人だけ連れて行くとしたら誰を選んだ？
中学校	31	自分の性格を一言で表すと？
	32	自分の長所はどこか？
	33	自分の短所はどこか？
	34	父親と母親、どちらに似ていた？
	35	自分の強みだったと感じるところは？
	36	自分の弱みだったと感じるところは？
	37	性格は外交的だったか？内向的だったか？
	38	コミュニケーションは得意だったか？苦手だったか？
	39	初対面の人でも、気軽に打ち解けられたか？
	40	一人でいるのが好きだったか？複数人といるのが好きだったか？
	41	人の良い点を見つけることが多かったか？悪い点を見つけることが多かったか？
	42	一番仲の良かった友人の好きなところは？
	43	無人島に一つだけ持って行くとしたら何を選んだ？
	44	無人島に一人だけ連れて行くとしたら誰を選んだ？
高校	45	自分の性格を一言で表すと？
	46	自分の長所はどこか？
	47	自分の短所はどこか？
	48	父親と母親、どちらに似ていた？
	49	自分の強みだったと感じるところは？
	50	自分の弱みだったと感じるところは？

高校	51	一番努力した経験は？
	52	一番影響を受けた出来事は？
	53	一番影響を受けた人は？
	54	周囲と協力して成し遂げた、一番大きなことは？
	55	生き方や考え方を刺激された経験は？
	56	一番嬉しかった言葉は？
	57	一番悲しかったことは？
	58	一番苦しかった経験は？
大学	59	一番嬉しかった体験は？
	60	一番楽しかった経験は？
	61	一番幸せな出来事は？
	62	一番の成功体験は？
	63	一番誇れる経験は？
	64	一番感動した経験は？
	65	一番努力した経験は？
	66	一番影響を受けた出来事は？
	67	一番影響を受けた人は？
	68	周囲と協力して成し遂げた、一番大きなことは？
	69	生き方や考え方を刺激された経験は？
	70	一番嬉しかった言葉は？
	71	一番悲しかったことは？
	72	一番苦しかった経験は？
社会人（20代）	73	一番嬉しかった体験は？
	74	一番楽しかった経験は？
	75	一番幸せな出来事は？
	76	一番の成功体験は？
	77	一番誇れる経験は？
	78	一番感動した経験は？
	79	一番努力した経験は？
	80	一番影響を受けた出来事は？
	81	一番影響を受けた人は？
	82	周囲と協力して成し遂げた、一番大きなことは？
	83	生き方や考え方を刺激された経験は？
	84	一番嬉しかった言葉は？
	85	一番悲しかったことは？
	86	一番苦しかった経験は？
現在	87	人生で一番嬉しかった体験は？
	88	人生で一番楽しかった経験は？
	89	人生で一番幸せな出来事は？
	90	人生で一番の成功体験は？
	91	人生で一番誇れる経験は？
	92	人生で一番感動した経験は？
	93	人生で一番努力した経験は？
	94	人生で一番影響を受けた出来事は？
	95	人生で一番影響を受けた人は？
	96	周囲と協力して成し遂げた、一番大きなことは？
	97	生き方や考え方を刺激された経験は？
	98	今までかけられた中で一番嬉しかった言葉は？
	99	人生で一番悲しかったことは？
	100	人生で一番苦しかった経験は？

レベル④ ☞ 経験についての100問❶

introduction	1	前回の100 問に答えたことで、得たものは何か？
	2	自分の経験と向き合うことで、何を得たいのか？
幼少期	3	一番嬉しかった体験は？
	4	一番楽しかった経験は？
	5	一番幸せな出来事は？
	6	一番の成功体験は？
	7	一番誇れる経験は？
	8	一番感動した経験は？
	9	一番努力した経験は？
	10	一番影響を受けた出来事は？
	11	一番影響を受けた人は？
	12	周囲と協力して成し遂げた、一番大きなことは？
	13	生き方や考え方を刺激された経験は？
	14	一番嬉しかった言葉は？
	15	一番悲しかったことは？
	16	一番苦しかった経験は？
小学校	17	一番嬉しかった体験は？
	18	一番楽しかった経験は？
	19	一番幸せな出来事は？
	20	一番の成功体験は？
	21	一番誇れる経験は？
	22	一番感動した経験は？
	23	一番努力した経験は？
	24	一番影響を受けた出来事は？
	25	一番影響を受けた人は？
	26	周囲と協力して成し遂げた、一番大きなことは？
	27	生き方や考え方を刺激された経験は？
	28	一番嬉しかった言葉は？
	29	一番悲しかったことは？
	30	一番苦しかった経験は？
中学校	31	一番嬉しかった体験は？
	32	一番楽しかった経験は？
	33	一番幸せな出来事は？
	34	一番の成功体験は？
	35	一番誇れる経験は？
	36	一番感動した経験は？
	37	一番努力した経験は？
	38	一番影響を受けた出来事は？
	39	一番影響を受けた人は？
	40	周囲と協力して成し遂げた、一番大きなことは？
	41	生き方や考え方を刺激された経験は？
	42	一番嬉しかった言葉は？
	43	一番悲しかったことは？
	44	一番苦しかった経験は？
高校	45	一番嬉しかった体験は？
	46	一番楽しかった経験は？
	47	一番幸せな出来事は？
	48	一番の成功体験は？
	49	一番誇れる経験は？
	50	一番感動した経験は？

高校	51	自分がついた一番大きな嘘は？
	52	つかれた一番大きな嘘は？
	53	一番後悔していることは？
	54	最も自尊心が傷ついた経験は？
	55	一番怒りを覚えた出来事は？
	56	一番許せない出来事は？
	57	最も反感をかった出来事は？
	58	一番大きな秘密は？
大学	59	一番裏切られたと感じた出来事は？
	60	一番の挫折体験は？
	61	一番恥ずかしい経験は？
	62	一番影響を与えた出来事は？
	63	一番影響を与えた人は？
	64	一番悲しかった言葉は？
	65	自分がついた一番大きな嘘は？
	66	つかれた一番大きな嘘は？
	67	一番後悔していることは？
	68	最も自尊心が傷ついた経験は？
	69	一番怒りを覚えた出来事は？
	70	一番許せない出来事は？
	71	最も反感をかった出来事は？
	72	一番大きな秘密は？
社会人（20代）	73	一番裏切られたと感じた出来事は？
	74	一番の挫折体験は？
	75	一番恥ずかしい経験は？
	76	一番影響を与えた出来事は？
	77	一番影響を与えた人は？
	78	一番悲しかった言葉は？
	79	自分がついた一番大きな嘘は？
	80	つかれた一番大きな嘘は？
	81	一番後悔していることは？
	82	最も自尊心が傷ついた経験は？
	83	一番怒りを覚えた出来事は？
	84	一番許せない出来事は？
	85	最も反感をかった出来事は？
	86	一番大きな秘密は？
現在	87	人生で一番裏切られたと感じた出来事は？
	88	人生で一番の挫折体験は？
	89	人生で一番恥ずかしい経験は？
	90	人生で一番影響を与えた出来事は？
	91	人生で一番影響を与えた人は？
	92	今までかけられた中で一番悲しかった言葉は？
	93	今までで自分がついた一番大きな嘘は？
	94	今までででつかれた一番大きな嘘は？
	95	人生で一番後悔していることは？
	96	人生で最も自尊心が傷ついた経験は？
	97	人生で一番怒りを覚えた出来事は？
	98	人生で一番許せない出来事は？
	99	人生で最も反感をかった出来事は？
	100	人生で一番大きな秘密は？

レベル⑤ ☞ 経験についての100問❷

introduction	1	前回の100問に答えたことで、得たものは何か？
	2	自分の経験をより深く知ることで、自分をどう変えたいか？
幼少期	3	一番裏切られたと感じた出来事は？
	4	一番の挫折体験は？
	5	一番恥ずかしい経験は？
	6	一番影響を与えた出来事は？
	7	一番影響を与えた人は？
	8	一番悲しかった言葉は？
	9	自分がついた一番大きな嘘は？
	10	つかれた一番大きな嘘は？
	11	一番後悔していることは？
	12	最も自尊心が傷ついた経験は？
	13	一番怒りを覚えた出来事は？
	14	一番許せない出来事は？
	15	最も反感をかった出来事は？
	16	一番大きな秘密は？
小学校	17	一番裏切られたと感じた出来事は？
	18	一番の挫折体験は？
	19	一番恥ずかしい経験は？
	20	一番影響を与えた出来事は？
	21	一番影響を与えた人は？
	22	一番悲しかった言葉は？
	23	自分がついた一番大きな嘘は？
	24	つかれた一番大きな嘘は？
	25	一番後悔していることは？
	26	最も自尊心が傷ついた経験は？
	27	一番怒りを覚えた出来事は？
	28	一番許せない出来事は？
	29	最も反感をかった出来事は？
	30	一番大きな秘密は？
中学校	31	一番裏切られたと感じた出来事は？
	32	一番の挫折体験は？
	33	一番恥ずかしい経験は？
	34	一番影響を与えた出来事は？
	35	一番影響を与えた人は？
	36	一番悲しかった言葉は？
	37	自分がついた一番大きな嘘は？
	38	つかれた一番大きな嘘は？
	39	一番後悔していることは？
	40	最も自尊心が傷ついた経験は？
	41	一番怒りを覚えた出来事は？
	42	一番許せない出来事は？
	43	最も反感をかった出来事は？
	44	一番大きな秘密は？
高校	45	一番裏切られたと感じた出来事は？
	46	一番の挫折体験は？
	47	一番恥ずかしい経験は？
	48	一番影響を与えた出来事は？
	49	一番影響を与えた人は？
	50	一番悲しかった言葉は？

高校	51	家族の中でどのような役割だったか？
	52	親戚の中でどのような役割だったか？
	53	家族との間で、一番良い思い出は？
	54	家族との間で、一番苦い思い出は？
	55	親戚との間で、一番記憶に残っている出来事は？
	56	家族間の約束事項はあったか？
	57	家庭の教育方針は？
	58	家庭の経済状況はどうだったか？
大学	59	父親との関係は？
	60	母親との関係は？
	61	兄弟・姉妹との関係は？
	62	祖父母との関係は？
	63	親戚との関係は？
	64	パートナーとの関係は？
	65	ペットを飼っていたか？どんな思い出があるか？
	66	家族の中でどのような役割だったか？
	67	親戚の中でどのような役割だったか？
	68	家族との間で、一番良い思い出は？
	69	家族との間で、一番苦い思い出は？
	70	親戚との間で、一番記憶に残っている出来事は？
	71	家族間の約束事項はあったか？
	72	家庭の経済状況はどうだったか？
社会人（20代）	73	父親との関係は？
	74	母親との関係は？
	75	兄弟・姉妹との関係は？
	76	祖父母との関係は？
	77	親戚との関係は？
	78	パートナーとの関係は？
	79	ペットを飼っていたか？どんな思い出があるか？
	80	家族の中でどのような役割だったか？
	81	親戚の中でどのような役割だったか？
	82	家族との間で、一番良い思い出は？
	83	家族との間で、一番苦い思い出は？
	84	親戚との間で、一番記憶に残っている出来事は？
	85	家族間の約束事項はあったか？
	86	家庭の経済状況はどうだったか？
現在	87	父親との関係は？
	88	母親との関係は？
	89	兄弟・姉妹との関係は？
	90	祖父母との関係は？
	91	親戚との関係は？
	92	パートナーとの関係は？
	93	ペットを飼っているか？どんな思い出があるか？
	94	家族の中でどのような役割か？
	95	親戚の中でどのような役割か？
	96	家族との間で、今までで一番良い思い出は？
	97	家族との間で、今までで一番苦い思い出は？
	98	親戚との間で、今までで一番記憶に残っている出来事は？
	99	家族間の約束事項はあるか？
	100	家庭の経済状況はどうか？

レベル⑥ ☞ 家族・親戚についての100問

introduction	1	前回の100問に答えたことで、得たものは何か？
	2	自分の家族・親戚と向き合うことで、何を得たいのか？
幼少期	3	父親との関係は？
	4	母親との関係は？
	5	兄弟・姉妹との関係は？
	6	祖父母との関係は？
	7	親戚との関係は？
	8	ペットを飼っていたか？どんな思い出があるか？
	9	家族の中でどのような役割だったか？
	10	親戚の中でどのような役割だったか？
	11	家族との間で、一番良い思い出は？
	12	家族との間で、一番苦い思い出は？
	13	親戚との間で、一番記憶に残っている出来事は？
	14	家族間の約束事項はあったか？
	15	家庭の教育方針は？
	16	家庭の経済状況はどうだったか？
小学校	17	父親との関係は？
	18	母親との関係は？
	19	兄弟・姉妹との関係は？
	20	祖父母との関係は？
	21	親戚との関係は？
	22	ペットを飼っていたか？どんな思い出があるか？
	23	家族の中でどのような役割だったか？
	24	親戚の中でどのような役割だったか？
	25	家族との間で、一番良い思い出は？
	26	家族との間で、一番苦い思い出は？
	27	親戚との間で、一番記憶に残っている出来事は？
	28	家族間の約束事項はあったか？
	29	家庭の教育方針は？
	30	家庭の経済状況はどうだったか？
中学校	31	父親との関係は？
	32	母親との関係は？
	33	兄弟・姉妹との関係は？
	34	祖父母との関係は？
	35	親戚との関係は？
	36	ペットを飼っていたか？どんな思い出があるか？
	37	家族の中でどのような役割だったか？
	38	親戚の中でどのような役割だったか？
	39	家族との間で、一番良い思い出は？
	40	家族との間で、一番苦い思い出は？
	41	親戚との間で、一番記憶に残っている出来事は？
	42	家族間の約束事項はあったか？
	43	家庭の教育方針は？
	44	家庭の経済状況はどうだったか？
高校	45	父親との関係は？
	46	母親との関係は？
	47	兄弟・姉妹との関係は？
	48	祖父母との関係は？
	49	親戚との関係は？
	50	ペットを飼っていたか？どんな思い出があるか？

高校	51	どのようなタイプの人を尊敬していたか？（同世代）
	52	どのようなタイプの人を尊敬していたか？（年上）
	53	どのようなタイプの人を尊敬していたか？（年下）
	54	どのようなタイプの人に恋愛感情を抱いていたか？
	55	友人にどのような接し方をしていたか？
	56	年上にどのような接し方をしていたか？
	57	年下にどのような接し方をしていたか？
	58	好きな人／恋人にどのような接し方をしていたか？
大学	59	どのようなタイプの人と気が合ったか？（同世代）
	60	どのようなタイプの人と気が合ったか？（年上）
	61	どのようなタイプの人と気が合ったか？（年下）
	62	どのようなタイプの人が苦手だったか？（同世代）
	63	どのようなタイプの人が苦手だったか？（年上）
	64	どのようなタイプの人が苦手だったか？（年下）
	65	どのようなタイプの人を尊敬していたか？（同世代）
	66	どのようなタイプの人を尊敬していたか？（年上）
	67	どのようなタイプの人を尊敬していたか？（年下）
	68	どのようなタイプの人に恋愛感情を抱いていたか？
	69	友人にどのような接し方をしていたか？
	70	年上にどのような接し方をしていたか？
	71	年下にどのような接し方をしていたか？
	72	好きな人／恋人にどのような接し方をしていたか？
社会人（20代）	73	どのようなタイプの人と気が合ったか？（同世代）
	74	どのようなタイプの人と気が合ったか？（年上）
	75	どのようなタイプの人と気が合ったか？（年下）
	76	どのようなタイプの人が苦手だったか？（同世代）
	77	どのようなタイプの人が苦手だったか？（年上）
	78	どのようなタイプの人が苦手だったか？（年下）
	79	どのようなタイプの人を尊敬していたか？（同世代）
	80	どのようなタイプの人を尊敬していたか？（年上）
	81	どのようなタイプの人を尊敬していたか？（年下）
	82	どのようなタイプの人に恋愛感情を抱いていたか？
	83	友人にどのような接し方をしていたか？
	84	年上にどのような接し方をしていたか？
	85	年下にどのような接し方をしていたか？
	86	好きな人／恋人にどのような接し方をしていたか？
現在	87	どのようなタイプの人と気が合うか？（同世代）
	88	どのようなタイプの人と気が合うか？（年上）
	89	どのようなタイプの人と気が合うか？（年下）
	90	どのようなタイプの人が苦手か？（同世代）
	91	どのようなタイプの人が苦手か？（年上）
	92	どのようなタイプの人が苦手か？（年下）
	93	どのようなタイプの人を尊敬しているか？（同世代）
	94	どのようなタイプの人を尊敬しているか？（年上）
	95	どのようなタイプの人を尊敬しているか？（年下）
	96	どのようなタイプの人に恋愛感情を抱くか？
	97	友人にどのような接し方をしているか？
	98	年上にどのような接し方をしているか？
	99	年下にどのような接し方をしているか？
	100	好きな人／恋人にどのような接し方をしているか？

レベル⑦ ☞ 友人・知人についての100問

introduction	1	前回の100問に答えたことで、得たものは何か？
	2	自分の友人・知人と向き合うことで、何を得たいのか？
幼少期	3	どのようなタイプの人と気が合ったか？（同世代）
	4	どのようなタイプの人と気が合ったか？（年上）
	5	どのようなタイプの人と気が合ったか？（年下）
	6	どのようなタイプの人が苦手だったか？（同世代）
	7	どのようなタイプの人が苦手だったか？（年上）
	8	どのようなタイプの人が苦手だったか？（年下）
	9	どのようなタイプの人を尊敬していたか？（同世代）
	10	どのようなタイプの人を尊敬していたか？（年上）
	11	どのようなタイプの人を尊敬していたか？（年下）
	12	どのようなタイプの人に恋愛感情を抱いていたか？
	13	友人にどのような接し方をしていたか？
	14	年上にどのような接し方をしていたか？
	15	年下にどのような接し方をしていたか？
	16	好きな人／恋人にどのような接し方をしていたか？
小学校	17	どのようなタイプの人と気が合ったか？（同世代）
	18	どのようなタイプの人と気が合ったか？（年上）
	19	どのようなタイプの人と気が合ったか？（年下）
	20	どのようなタイプの人が苦手だったか？（同世代）
	21	どのようなタイプの人が苦手だったか？（年上）
	22	どのようなタイプの人が苦手だったか？（年下）
	23	どのようなタイプの人を尊敬していたか？（同世代）
	24	どのようなタイプの人を尊敬していたか？（年上）
	25	どのようなタイプの人を尊敬していたか？（年下）
	26	どのようなタイプの人に恋愛感情を抱いていたか？
	27	友人にどのような接し方をしていたか？
	28	年上にどのような接し方をしていたか？
	29	年下にどのような接し方をしていたか？
	30	好きな人／恋人にどのような接し方をしていたか？
中学校	31	どのようなタイプの人と気が合ったか？（同世代）
	32	どのようなタイプの人と気が合ったか？（年上）
	33	どのようなタイプの人と気が合ったか？（年下）
	34	どのようなタイプの人が苦手だったか？（同世代）
	35	どのようなタイプの人が苦手だったか？（年上）
	36	どのようなタイプの人が苦手だったか？（年下）
	37	どのようなタイプの人を尊敬していたか？（同世代）
	38	どのようなタイプの人を尊敬していたか？（年上）
	39	どのようなタイプの人を尊敬していたか？（年下）
	40	どのようなタイプの人に恋愛感情を抱いていたか？
	41	友人にどのような接し方をしていたか？
	42	年上にどのような接し方をしていたか？
	43	年下にどのような接し方をしていたか？
	44	好きな人／恋人にどのような接し方をしていたか？
高校	45	どのようなタイプの人と気が合ったか？（同世代）
	46	どのようなタイプの人と気が合ったか？（年上）
	47	どのようなタイプの人と気が合ったか？（年下）
	48	どのようなタイプの人が苦手だったか？（同世代）
	49	どのようなタイプの人が苦手だったか？（年上）
	50	どのようなタイプの人が苦手だったか？（年下）

高校	51	勉強を通じて得たものは？
	52	部活において、一番達成したかった目標は何か？
	53	部活で努力が実った経験は？
	54	部活で挫折した経験は？
	55	部活を通じて得たものは？
	56	授業中積極的に発言をしていたか？
	57	授業に集中していたか？
	58	宿題にはどのような姿勢で取り組んでいたか？
大学	59	どこの大学に進学したか？選んだ理由は？
	60	好きな教科は？
	61	嫌いな教科は？
	62	勉強において、一番達成したかった目標は何か？
	63	勉強で努力が実った経験は？
	64	勉強で挫折した経験は？
	65	勉強を通じて得たものは？
	66	部活・サークルにおいて、一番達成したかった目標は何か？
	67	部活・サークルで努力が実った経験は？
	68	部活・サークルで挫折した経験は？
	69	部活・サークルを通じて得たものは？
	70	授業中積極的に発言をしていたか？
	71	授業に集中していたか？
	72	課題にはどのような姿勢で取り組んでいたか？
社会人（20代）	73	どこの会社にしたか入社したか？選んだ理由は？
	74	好きな業務は？
	75	嫌いな業務は？
	76	仕事において、一番達成したかった目標は何か？
	77	仕事で努力が実った経験は？
	78	仕事で挫折した経験は？
	79	仕事を通じて得たものは？
	80	プロジェクトにおいて、一番達成したかった目標は何か？
	81	プロジェクトで努力が実った経験は？
	82	プロジェクトで挫折した経験は？
	83	プロジェクトを通じて得たものは？
	84	会議中積極的に発言をしていたか？
	85	会議に集中していたか？
	86	仕事にはどのような姿勢で取り組んでいたか？
現在	87	どんな勉強が好きか？
	88	どんな勉強が嫌いか？
	89	どんな仕事が好きか？
	90	どんな仕事が嫌いか？
	91	勉強で残した一番の成果は？
	92	勉強で一番悔しかったことは？
	93	部活で残した一番の成果は？
	94	部活で一番悔しかったことは？
	95	委員会で残した一番の成果は？
	96	委員会で一番悔しかったことは？
	97	課外活動で残した一番の成果は？
	98	課外活動で一番悔しかったことは？
	99	習い事で残した一番の成果は？
	100	習い事で一番悔しかったことは？

レベル⑧ ☞ 勉強・仕事についての100問❶

introduction	1	前回の100問に答えたことで、得たものは何か？
	2	自分の勉強・仕事と向き合うことで、何を得たいのか？
幼少期	3	どこの保育園／幼稚園に入園したか？選んだ理由は？
	4	好きな時間は？
	5	嫌いな時間は？
	6	お勉強や遊びにおいて、一番達成したかった目標は何か？
	7	お勉強や遊びで努力が実った経験は？
	8	お勉強や遊びで挫折した経験は？
	9	お勉強や遊びを通じて得たものは？
	10	発表会において、一番達成したかった目標は何か？
	11	発表会で努力が実った経験は？
	12	発表会で挫折した経験は？
	13	発表会を通じて得たものは？
	14	保育園／幼稚園で積極的に発言をしていたか？
	15	先生の話を集中して聞いていたか？
	16	休み時間は何をして遊んでいたか？
小学校	17	どこの小学校に進学したか？選んだ理由は？
	18	好きな教科は？
	19	嫌いな教科は？
	20	勉強において、一番達成したかった目標は何か？
	21	勉強で努力が実った経験は？
	22	勉強で挫折した経験は？
	23	勉強を通じて得たものは？
	24	部活において、一番達成したかった目標は何か？
	25	部活で努力が実った経験は？
	26	部活で挫折した経験は？
	27	部活を通じて得たものは？
	28	授業中積極的に発言をしていたか？
	29	授業に集中していたか？
	30	宿題にはどのような姿勢で取り組んでいたか？
中学校	31	どこの中学に進学したか？選んだ理由は？
	32	好きな教科は？
	33	嫌いな教科は？
	34	勉強において、一番達成したかった目標は何か？
	35	勉強で努力が実った経験は？
	36	勉強で挫折した経験は？
	37	勉強を通じて得たものは？
	38	部活において、一番達成したかった目標は何か？
	39	部活で努力が実った経験は？
	40	部活で挫折した経験は？
	41	部活を通じて得たものは？
	42	授業中積極的に発言をしていたか？
	43	授業に集中していたか？
	44	宿題にはどのような姿勢で取り組んでいたか？
高校	45	どこの高校に進学したか？選んだ理由は？
	46	好きな教科は？
	47	嫌いな教科は？
	48	勉強において、一番達成したかった目標は何か？
	49	勉強で努力が実った経験は？
	50	勉強で挫折した経験は？

高校	51	アルバイトにおいて、一番達成したかった目標は何か？
	52	アルバイトで努力が実った経験は？
	53	アルバイトで挫折した経験は？
	54	アルバイトを通じて得たものは？
大学	55	ゼミ（研究室）において、一番達成したかった目標は何か？
	56	ゼミで努力が実った経験は？
	57	ゼミで挫折した経験は？
	58	ゼミを通じて得たものは？
	59	課外活動において、一番達成したかった目標は何か？
	60	課外活動で努力が実った経験は？
	61	課外活動で挫折した経験は？
	62	課外活動を通じて得たものは？
	63	習い事において、一番達成したかった目標は何か？
	64	習い事で努力が実った経験は？
	65	習い事で挫折した経験は？
	66	習い事を通じて得たものは？
	67	大学で一番熱中していた取り組みは？
	68	教授からどんなフィードバックをもらうことが多いか？
	69	アルバイトにおいて、一番達成したかった目標は何か？
	70	アルバイトで努力が実った経験は？
	71	アルバイトで挫折した経験は？
	72	アルバイトを通じて得たものは？
社会人（20代）	73	副業 / 複業において、一番達成したかった目標は何か？
	74	副業 / 複業で努力が実った経験は？
	75	副業 / 複業で挫折した経験は？
	76	副業 / 複業を通じて得たものは？
	77	社外活動において、一番達成したかった目標は何か？
	78	社外活動で努力が実った経験は？
	79	社外活動で挫折した経験は？
	80	社外活動を通じて得たものは？
	81	習い事において、一番達成したかった目標は何か？
	82	習い事で努力が実った経験は？
	83	習い事で挫折した経験は？
	84	習い事を通じて得たものは？
	85	会社で一番熱中していた取り組みは？
	86	上司からどんなフィードバックをもらうことが多いか？
現在	87	勉強で一番嬉しかったことは？
	88	勉強で一番つらかったことは？
	89	仕事で一番嬉しかったことは？
	90	仕事で一番つらかったことは？
	91	会社の仕事で残した一番の成果は？
	92	会社の仕事で一番悔しかったことは？
	93	アルバイトで残した一番の成果は？
	94	アルバイトで一番悔しかったことは？
	95	副業で残した一番の成果は？
	96	副業で一番悔しかったことは？
	97	今一番勉強したいことは？
	98	今までで一番深く勉強した分野は？
	99	今一番やりたい仕事は？
	100	今までで一番こなした業務は？

レベル⑨ ☞ 勉強・仕事についての100問❷

introduction	1	前回の100問に答えたことで、得たものは何か？
	2	自分の勉強・仕事をより深く知ることで、自分をどう変えたいか？
幼少期	3	習い事において、一番達成したかった目標は何か？
	4	習い事で努力が実った経験は？
	5	習い事で挫折した経験は？
	6	習い事を通じて得たものは？
	7	保育園 / 幼稚園で一番熱中していた取り組みは？
	8	連絡帳に書かれていたコメントは？
小学校	9	委員会において、一番達成したかった目標は何か？
	10	委員会で努力が実った経験は？
	11	委員会で挫折した経験は？
	12	委員会を通じて得たものは？
	13	課外活動において、一番達成したかった目標は何か？
	14	課外活動で努力が実った経験は？
	15	課外活動で挫折した経験は？
	16	課外活動を通じて得たものは？
	17	習い事において、一番達成したかった目標は何か？
	18	習い事で努力が実った経験は？
	19	習い事で挫折した経験は？
	20	習い事を通じて得たものは？
	21	小学校で一番熱中していた取り組みは？
	22	通知表に書かれていたコメントは？
中学校	23	委員会において、一番達成したかった目標は何か？
	24	委員会で努力が実った経験は？
	25	委員会で挫折した経験は？
	26	委員会を通じて得たものは？
	27	課外活動において、一番達成したかった目標は何か？
	28	課外活動で努力が実った経験は？
	29	課外活動で挫折した経験は？
	30	課外活動を通じて得たものは？
	31	習い事において、一番達成したかった目標は何か？
	32	習い事で努力が実った経験は？
	33	習い事で挫折した経験は？
	34	習い事を通じて得たものは？
	35	中学校で一番熱中していた取り組みは？
	36	通知表に書かれていたコメントは？
高校	37	委員会において、一番達成したかった目標は何か？
	38	委員会で努力が実った経験は？
	39	委員会で挫折した経験は？
	40	委員会を通じて得たものは？
	41	課外活動において、一番達成したかった目標は何か？
	42	課外活動で努力が実った経験は？
	43	課外活動で挫折した経験は？
	44	課外活動を通じて得たものは？
	45	習い事において、一番達成したかった目標は何か？
	46	習い事で努力が実った経験は？
	47	習い事で挫折した経験は？
	48	習い事を通じて得たものは？
	49	高校で一番熱中していた取り組みは？
	50	通知表に書かれていたコメントは？

高校	51	好きだったテレビ番組は？
	52	好きだった音楽は？
	53	好きだったブランド・メーカーは？
	54	好きだった国・地域は？
大学	55	好きだった食べ物／飲み物は？
	56	好きだった時間の過ごし方は？
	57	好きだった場所は？
	58	好きだったゲームは？
	59	好きだった漫画は？
	60	好きだった色は？
	61	好きだったアート作品は？
	62	好きだった本は？
	63	好きだった舞台・映画は？
	64	好きだったテレビ番組は？
	65	好きだった音楽は？
	66	好きだったブランド・メーカーは？
	67	好きだった国・地域は？
社会人（20代）	68	好きだった食べ物／飲み物は？
	69	好きだった時間の過ごし方は？
	70	好きだった場所は？
	71	好きだったゲームは？
	72	好きだった漫画は？
	73	好きだった色は？
	74	好きだったアート作品は？
	75	好きだった本は？
	76	好きだった舞台・映画は？
	77	好きだったテレビ番組は？
	78	好きだった音楽は？
	79	好きだったブランド・メーカーは？
	80	好きだった国・地域は？
現在	81	好きな食べ物／飲み物は？
	82	好きな時間の過ごし方は？
	83	好きな場所は？
	84	好きなゲームは？
	85	好きな漫画は？
	86	好きな色は？
	87	好きなアート作品は？
	88	好きな本は？
	89	好きな舞台・映画は？
	90	好きなテレビ番組は？
	91	好きな音楽は？
	92	好きなブランド・メーカーは？
	93	好きな国・地域は？
conclusion	94	1000問に答えたことで、何を得たのか？
	95	今後この自己分析をどのように活かしていきたいか？
	96	途中、答えるペースが落ちた時にどのように自分を鼓舞したか？
	97	これから1000問を答える人に、どのような言葉をかけたいか？
	98	もう一度1000問に挑戦したいか？
	99	自己分析をして自分の目的は果たせたか？
	100	自己分析をして見つけた「人生の軸」は？

レベル⑩ 趣味・嗜好についての100問

introduction	1	前回の100問に答えたことで、得たものは何か？
	2	自分の趣味・嗜好と向き合うことで、何を得たいのか？
幼少期	3	好きだった食べ物／飲み物は？
	4	好きだった時間の過ごし方は？
	5	好きだった場所は？
	6	好きだったゲームは？
	7	好きだった漫画は？
	8	好きだった色は？
	9	好きだったアート作品は？
	10	好きだった本は？
	11	好きだった舞台・映画は？
	12	好きだったテレビ番組は？
	13	好きだった音楽は？
	14	好きだったブランド・メーカーは？
	15	好きだった国・地域は？
小学校	16	好きだった食べ物／飲み物は？
	17	好きだった時間の過ごし方は？
	18	好きだった場所は？
	19	好きだったゲームは？
	20	好きだった漫画は？
	21	好きだった色は？
	22	好きだったアート作品は？
	23	好きだった本は？
	24	好きだった舞台・映画は？
	25	好きだったテレビ番組は？
	26	好きだった音楽は？
	27	好きだったブランド・メーカーは？
	28	好きだった国・地域は？
中学校	29	好きだった食べ物／飲み物は？
	30	好きだった時間の過ごし方は？
	31	好きだった場所は？
	32	好きだったゲームは？
	33	好きだった漫画は？
	34	好きだった色は？
	35	好きだったアート作品は？
	36	好きだった本は？
	37	好きだった舞台・映画は？
	38	好きだったテレビ番組は？
	39	好きだった音楽は？
	40	好きだったブランド・メーカーは？
	41	好きだった国・地域は？
高校	42	好きだった食べ物／飲み物は？
	43	好きだった時間の過ごし方は？
	44	好きだった場所は？
	45	好きだったゲームは？
	46	好きだった漫画は？
	47	好きだった色は？
	48	好きだったアート作品は？
	49	好きだった本は？
	50	好きだった舞台・映画は？

SNSで募集した「人生の軸」

1000問の「自分を知るための問い」を通じて、人生が向かうべき方向を指し示すコンパス、「人生の軸」は見つかりましたか？

もしあなたがさらに自己分析を深めたいのならば、自分の「人生の軸」と他人の「人生の軸」を照らし合わせてみましょう。

他の人が一番大事にしている価値観に触れ、それらを自分の価値観と照らし合わせることによって、自己分析は急速に進みます。

次頁以降には、読者の皆さんがSNSに投稿してくださった約1000個の「人生の軸」を載せています。いわば共著者約1000人分の魂が乗った、熱い本になりました。

一つでも多くの誰かの「人生の軸」を見ることで、自分の価値観をさらに深掘りしていきましょう！

◉娘2人がいつまでも本音で話したくなるカッコ良い父親 @parutin1129 ◉スポーツを主手段として、世の中と一緒にハッピーでいる。@shotarai369 ◉人の良いところを見つける。褒めてあげる！様々な事に感謝する！笑顔を忘れない事。@soulrock715 ◉自分に関わる人すべてを幸せにする @mytsng0415 ◉自分の価値をブラさず、前を向いて淡々と目標へ進み続ける @Daifugo888 ◉経験したことのないことはとりあえずチャレンジ @hii_kn ◉価値観は十人十色、長所を伸ばせ、誰が為に、常に全力疾走であれ。@kohkimasada ◉靴磨きとファッションで身近な人から幸せにする @judy_oshima ◉"I am Special!"と言える子を増やす！@KonoavaMa ◉プラス思考、即行動、人のせいにしない。@furikaereba ◉常に過去の自分を超えるアクションを取れるかどうか Daisuke。◉他人の目を気にせず、好きな生き方をする。@K_T_H_K_1 ◉生きているだけでまる儲け、それ以外は大切な人への優しさに。Day Lounge First代表 ◉大切な人達を守れる、貢献出来る「人間性」「能力」「財力」を持つ事 @tokyoRyoILW ◉童心を忘れずに遊びながらいきる @jumpingingin ◉「成長」と「挑戦」さくだ しん ◉何でもやってみる。一度走り出せばレース前の恐怖など吹き飛ぶ。@shotarooguri ◉とことん素直でいる @108_jiro108 ◉してもらって嬉しかったことを、違う誰かにもする。@kanakana755 ◉時勢に応じて自分を変革しろ masat0512 ◉自分の心に正直であるために、独立した個になる ippei1817 ◉自らの足るを知り他者を想いやる @annchan0306 ◉あるがままを愛する @emiscope1 ◉人の為に行動を、自分の為に行動を、家族の為に行動を。@naoki_hiyama67 ◉自分に嘘をつかない人生 @eri8888xoxo ◉自分に嘘をつかない @genzo_ya ◉家族　仲間　と一笑懸命 @AtelierFoyer ◉ものつくりを通して心身共に健康な人を世界中に増やしたい！@yusyrun ◉感謝の心を忘れなければ人は死なない @gaku_bon ◉課題に対して、自主提案で問題解決し、世の中に新しい価値を生みたい @pmLSeU0M7iEvzb2 ◉周りの人たちを幸せにしたい。常識を作りたい。@M_AWEMAKER0204 ◉思ったら、叶う。だから信じて、進むだけ。@3jsb1225Ty ◉何者かになる。大事な人と心から幸せに過ごす。@Katsuhi27475858 ◉大人の都合でなく人の"傷と運命"に依る学びのインフラをつくる @hazrennnn ◉大切な人に自慢してもらえる人生を築くこと @kenken8japan ◉死生観、解釈力、俯瞰力を基軸に、今、この瞬間にベストを尽くす @saintlaurent14 ◉影響力のある人間になる！そして励ましの天才になる！@i1853 ◉昨日より今日の方がひとつでも多く笑えるように考え行動する！JUJU ◉既成概念にとらわれず、挑戦し続けることをやめない。@TKHREND ◉革命前夜の喜びと自分を愛すること @you1103s ◉自分の目の届く人たちを笑顔にしたい笑わせたい楽しませたい！@umatauros ◉今を全力で楽しむ Toshihiro Hirukawa ◉日本のお米で世界中を笑顔に。笑顔は世界平和の第一歩。398-sakuhachi- ◉自分にも他人にも誠実に。嘘はつかない。@YUKICHOKI1 ◉正しい事を正しくやる。本音を本音で生きる。@onechan1977 ◉勇ましい高尚なる生涯。敬天愛人。知恵と忍耐。@happybongo ◉美容をツールに、その人の魅力・自信を引き出すお手伝い！@atsuko696 ◉カジキの様に速く動き、マグロの様に常に動き続ける。@ishimur84279259 ◉本音で最大限行動し、結果を期待しない。@viva_vivalife ◉他人の目は気にせずひたむきに走れエキセントリックになれ。@beaglesz ◉我慢を手放し、ワクワクに従う！@iori_s_ ◉ユニークであれ！@S_YUDAI ◉自分が面白いと想うものを探究し、共感してくれる人を探す。@techinerumona ◉明日を生きたいと思える世界にする @rikkii0923 ◉自分が思ったことをそのままやれば自分の思い通りに生きていける @KTenlightenment ◉どんなに小さな嘘もつかない、不完全な自分を受け入れた上で自分に素直に生きる。ダルビッシュ有 @faridyu ◉狂うように学ぶ @lsc10kai ◉大切な人を大切にして、日々笑顔で楽しく生ききって、死ぬ時に後悔しない。@karen710take ◉無邪気に遊び、学び、熱中していた小さかった自分を忘ず突き進む 178freedom

◉共同幻想から自由になる生き方を発信する@motomikirishima ◉周りまで明るく元気に笑顔に。そしてキャンプで生きる@gakikocamp ◉口を開く時はいつも笑顔で@misumisu0722 ◉恥を恐れず行動し、新しい経験を追い求めるjun1018 ◉妻の笑顔の為に、自分の笑顔の為に@rentyo_s ◉どこにも自分の代わりはいない。"自分らしく"生きていく!@pgRyoheeeeei ◉自分が選択したことを正解にし続けるように生きる@ms_rebirthink ◉自分で考え、自分で行動し、自分で未来を切り開く。@ueken313 ◉70億人のうち1人でも多くの人の人生に影響を与えること@teeerfe1 ◉自分に正直であれ、正しいと思った道を進め@baba_budouen ◉面白い人生送る@murako46 ◉どんなことでも吸収し、自分を成長させ世の中に還元すること。@AoyagiMo ◉ニノナッピーファースト!そして旅するように暮らす@halu_no_uta ◉家族(大切な人)と幸せを共有できること!@mojatomo ◉幸せが土台@samucoroom ◉死にたい。少しの後悔もないほど生きてる時間を楽しんでからね。@giita_009 ◉カッコ良さの最大化武原徳孝 ◉自分のやりたい事を磨いて楽しんで、社会貢献に繋げる。@ymtr_ktht ◉親子も友も全員他人。人生を楽しむために他人の人生を歩まない。@yora_designist ◉たった1人でも、誰かにプラスの影響を与えたい@kamoshikalegs ◉ワクワクとドキドキの流れに身を任す@yoshiki_yt ◉良い意味で他人に期待しない、迷ったら変化を取る@shamy894 ◉生涯打席に立ち続ける。失敗は次に成功する確率を上げる武器。@samidare_yohei ◉子どもたちに自由に生きてほしいから、自分自身もそれを体現する@fina_assam119 ◉人を楽しませるバカであれ!Mory ◉変化を恐れずに楽しむ 出逢った人との笑顔の時間を大切にしたい。朝長美桜@30_mio_0517 ◉地方からhappyな大人を増やす♡sakura ◉心、体、経済のバランス。常にワクワクしながら新たな事に挑戦!@S04917269 ◉誰もがイキイキと輝いて働ける社会をつくる@jajajaJames2018 ◉手の届く人くらいは幸せにしてあげたい。@iori_chan210 ◉おもしろきこともなき世をおもしろく すみなすものは心なりけり@goooodson ◉とりあえず、やってみる。自己ベスト更新。今だ!と感じるGOサインを見逃すな。@igu_shin ◉文化・アートと共に生きる。共にソウゾウする仲間を増やす。@yk_sv12 ◉今感じる気持ちに従って、心思うがままに生きる。@relucky ◉みんなが自分らしさを発揮して生きられる優しく楽しい世界を創る@ASoBU_nao ◉食卓をアップデートし、笑顔溢れる世の中にする@tam30929 ◉人の気持ちを想像し、自分の思いを言葉で伝える@hisaeokada1 ◉要はオモロいかオモロくないか@kdmn88 ◉頑張ってる人を全力で応援するさくらD ◉好奇心を大切にして、自分自身に蓋をしないしかさぶろう ◉1年後、10年後を想像したときにワクワクすることを選ぶ。@chebura_mayuko ◉言葉では伝え切れない想いや感情を、歌や詩で唄いながら生きる。@taka1121n ◉自分の心が喜ぶことを!自由な楽しい人生がモットー(^ ^)@kakuagekarin ◉100年生きれるかどうか。100年先も見てみたいからKatsuya T ◉大爆笑し合える仲間を人生終えるまでに数人でいいので見つける森 麻喜 ◉自分の人生は自分で決める河村裕貴【ユッチ】 ◉今を生きる。 挑戦し続ける。@1201zawa ◉頑張らずに頑張る。笑顔でリラックスTashiko ◉その瞬間瞬間、面白くてバカになれることを選択して生きる。@toshi1139 ◉大爆笑しながら死ぬ!@kinmai ◉好奇心の赴くままに全体性を明らかにしていく@ryota_tomizawa ◉人が自発的に選択出来るようなものを創ること@tdtjdtwmdj ◉自分らしく生きること、限られた自分の時間を精一杯生きること。@sota_mikami ◉ワクワクしながら 人を笑顔にすること@notebook18829 ◉感謝と思いやりを忘れない!そして、常に挑戦する!にっしー0417 ◉楽しく、好きなことで稼いでいく@tomymasterkey ◉人を愛したいし、人に愛されたい@hitoshi03566714 ◉劣等感や嫉妬心から解放されて今を全力で楽しむ。@sawazlea ◉余裕がない時は自分を最優先りょうた! ◉関わる人が笑顔になること&ほっこりすること@hokutotakahasi ◉目の前のすべての子どもの瞳と未来をキラキラ輝かせる!おいもこ

◉作業は機械に、クリエイティブはヒトに。@pvnotora ◉一瞬の感動を創り出すために全力を注ぐ @igubeeeeeam ◉微分で生きる @okayHyatt ◉幸せの追求 @takecchi67 ◉クレイジーと言われても、やりたいことをやりきる人生を！ @muji_seikatsu ◉好きなことをして楽しく笑って生きる。その為の努力だけをする。@612mzkk ◉次世代の飲食業界を、次世代が創る。@eiichi_37 ◉主体的に行動して、自分の人生を生きていく @38lvd3 ◉思いやりの心を形に変える介護福祉士〜慶〜jack ◉スポーツビジネスで世界を変える @teransistar ◉欲求を満たすと幸福感を味わえるから、やりたいことを次々とやる @newmagata ◉自分の意志で自分の限界を超える @iryond ◉旅は人生の縮図ノビシロ ◉温かな光で闇を照らす、あの月の様な人になる @ma70201 ◉自分の直感を信じて行動する @hasebe_sachiko ◉結局は、妻と息子の幸せの為に。にわ礼 ◉ワクワク感、楽しさ。と、人を幸せにさせれるか。の2軸 @SightIndication ◉自分と縁ある全ての人を豊かにしたいミヤモトナオキ ◉何とかなると思えば大抵のことは何とかなる。@Berryzcinema ◉初めてのことでも下手でもなんでもとりあえずトライ。@dolph_u3u ◉人と違っていい！どこまでも自分の心に従って！ @mimi0808088 ◉今を踊るように生きて、まだ見ぬ場所にたどり着きたい！ @unmako_65 ◉理不尽な逆境でも健気に取り組み続ける、そんな人の力になれ。まあ兄さん ◉自分の時間を生き、世界をワクワク楽しみ面白く生きる。@I7tIGmGyBR888UN ◉金銭授受の有無に関わらず、自分の得意な事で社会に貢献する @misakashiwagi ◉家族と周りの人を笑顔にする @horiega ◉後悔しない人生を送る erika ◉“ために生きること“をやめなければ必ず目標に辿りつける @Buzznabe ◉自分にウソをつかない。体の声を聴く。自分の応援団になる。@kihoncho ◉関わる人をより豊かにさせていくことで自分の存在証明をするありぺ ◉10年後から現在に戻ってきたつもりで、後悔のないよう全力で生きる。@malibumanabu ◉行きたいところへ行く。やりたいことをやる。会いたい人には会いに行く。@like_a_rhino ◉夫と楽しく仲良く暮らすことみみきっき ◉旅するように生きる @Marino78604792 ◉自分の可能性に限界を作らないためにチャレンジし続ける。@orkrp ◉第三の道をひらく @ryooo_86 ◉非大卒のロールモデルになる @daichi19990902 ◉楽しいことはみんなで。笑顔・優しさ・情報を循環させる @mirage_akane ◉善／悪ではなく、ワクワクできるか否かでやりたいことをする @Ver2Pochi ◉「やり方」よりも「在り方」@mamomiso1982 ◉自分の可能性を自分が1番信じている @nobu_sonehara ◉いつも笑っててやりたいことをやりぬく自慢の母ちゃんであること @chi_chan_kzk ◉命限り有り惜しむ可からず @Takezo_miyamoto ◉"サブカルから、人生を学ぶ。"@tange_kaito ◉反省はしても後悔はしない @chiby_smile ◉毎日笑顔で過ごすこと @shiblog14 ◉「馬には乗ってみよ人には添うてみよ」「案ずるより産むが易し」藤原光啓 @drillemperor ◉遊びと貢献をリンクする @pet_black_pig ◉自分を含め多くの人を笑顔にし、一歩進む勇気を与えたい。つよぽん ◉もしも伝記にしたときに1ページでも多く、分厚い本になるような、そんな人生を送る三田村満生 ◉楽しく生きる。自分に正直になる。無理はしない。かじっこ ◉物語で人生を豊かに @kotoriwriter ◉書いて生きていく @kirinowriter ◉人生欲張りに、楽しまなきゃ楽しめないライト ◉「我慢」ではなく「楽しい」を知ってもらうきっかけになる @wako_420 ◉愛を持って行動し、目の前の人に愛を向けれるかたくま@アーティスト ◉自分が幸せになる1番の方法は、人を幸せにすること。@Taisei_Kurino ◉自分自身も楽しめているか @dama_takeru ◉誰かの気持ちに寄り添えるようなドラマを書くこと。@yukarigohaaan ◉東アジア人の仲良しと地元に貢献しながらおしゃれになろうイドンウク ◉岐阜県を有名にする立役者になる @hkrsoo ◉人への親切に遠慮しない（自分が思うとおりに親切にしていい）@jango_kazu ◉エンターテインメントで世界をワクワクする毎日に。@output_omochi ◉walk on the wild side 迷ったらヤバい方へ！ @yoshinagadesu

◉自分と関わった人に少しでも自分と出会って良かったと思ってもらえる。@Tonkinkong ◉脱執着。人に媚びず、富貴を望まず。 @mharag ◉今、私はどうしたいか？@oo3_ma ◉一日一笑 @kazubsk24 ◉他人に媚びを売らない。感謝は行動で示す。他人をよく見る。@tukementukemeny ◉あきらめない、ただ、やりきる。@ttj_afro ◉魂を燃やし続け、常識を疑い、今この瞬間を一所懸命に生きろ。Reiki Nishitani ◉サッカーで、日本人が海外で活躍できる環境を提供する。@akitaka45 ◉影響なき行動は無意味 KENKENSOWAKA ◉良いと思ったらやる。やって違うなと思ったらやめる。kazuc13921116 ◉世界に1拍でも多くのドキドキを。あったらいいな！を実現する。星流 咲音 ◉面白く生きて、楽しく死にたい。「人」を大切にする。JUNJUN ◉人生に意味はない。だからこそ、自分で定義し更新し続ける。@aStudent70 ◉毎日ちょっとずつ、昨日の自分を超える。kyonchan813 ◉楽しいを追求する、人生楽しんだもん勝ち。マナメタル ◉勝負は一瞬、努力は一生。@s2toyou ◉節約は、未来への投資。@comono_me ◉揺らがない軸なんてない、だからこそ揺らぐ自分を受け入れ楽しむ！goripon748r ◉見えないしがらみから解放を勝ち取る。@WHZYCiwHc6zmlxG ◉昨日より今日をより良い社会に。Taku Ito ◉熱を起こさなければ化学反応はない。そう、人生は実験だ！@Ruckieee ◉何事も挑戦、そしてその決断を正しくする。@kengk4415 ◉美しく生きる。圧倒的な実力を得る。人を助け笑顔を引き出す。@beh1st ◉人から『変』と言われる道を行く。@ZIMAsun ◉まだ知らない世界に興味を持ち続ける。@nemo_nemo ◉他者に見返りを求めることなく、与え続ける自分でありたい。@agtukenori ◉やってやれないことはない。やらずにできるわけがない。@xhide12 ◉今を大事に、ライブ感のあるものを、体感、体験、経験する。@icchi0625 ◉あえてレッドオーシャンな市場で勝つ、勝ち切る。@raia_k1218 ◉人生、進むも、休むも、戻るも自由。すべては己が意思なり。@ishiguroma ◉全力を尽くす。@NextSnowbooks ◉過去を受け入れ、現在に感謝し、未来に希望。miyasho ◉生涯現役。@kohei_yamayama ◉すべては自分の選択。自分を認め他人と比べず素直に生きる。hsk ◉自分の中に最初に湧いた思いやりを裏切らない。@rastakahito ◉行動の原動力は愛。自分に起こることはすべて神様からのメッセージ。@kotobaseimei ◉とりあえずやってみる。好奇心を一生忘れない。@toudaikateikyou ◉**Higher Goals.**Shunya Chosokabe ◉それは誰かを笑顔にするか？@trtr88 ◉自分に正直でいたい。生きている限り人生を大いに楽しむ。AO ◉人の可能性を信じ、自分の可能性を信じ抜く。@KMassa01 ◉できるか、できないかじゃなく、やりたいか、やりたくないか。@Tette_bs ◉諦めたらそこで試合終了。@skippbeat ◉自分の心に向き合えるように。醜さも含めて目を背けない。@Christmas_EVE_2 ◉自分で自分を尊敬出来る生き方をする。@CUORE1111 ◉夫と幸せでいること。@shinkenkousai ◉人に勇気を与える生き方をする。後悔しない生き方をする。@sendaiphotocafe ◉バーチャル空間の創造と繁栄と生態化。僕の使命。@ryou__1993 ◉世界にインパクトを与える発明をする。@pal0219007 ◉常に心に余裕を持つ事、感謝を忘れない事。@ysk_mtxxx ◉何事にも勝つには理由がある。@beeyan19871205 ◉人生、いつも追い風。@yamadasho0601 ◉心と身体を鍛える！環境を変えるのは自分。人生を変えるのも自分。@kyoshi2_0 ◉日本に生まれたのは努力ではなく運。その恵まれた前提を無駄にしない。気づけば39歳で響きにひく ◉支えてくれる仲間と共に、日本発で世界に誇れる最高の企業を作る。@webazarashi ◉自分を喜ばせることを忘れない。@sukonamii ◉変化を恐れず行動する。常に謙虚に。ペイフォワード精神。@hachi_ko_hachi ◉人生の価値はどれだけ長く生きたかでも、何を成したかでもなく、どれだけ人生を楽しんだか。志藤大地 ◉なるべく困難な道を選択し、直感を信じ、ワクワクするようなことだけをして生きる！@stone_age7 ◉世の為人の為に毎日半歩でも前に進むこと、愛を持って。@BLUELABO2016 ◉縁は努力。@tatsuya19890325

◉自分の心に素直でいること。@gnm_6 ◉実際のところ何となく生きているだけ。語れるくらいの人生の軸をこれから考えます。@ma_tetsuya ◉人生はRPG.@kobo_sta ◉想像力＋行動力＋ポジティブ力で笑顔を作り続けたい。n_nkymn ◉ワクワクのままに生きる。自分と半径5m以内の人と幸せを増幅していく。@kina30126 ◉誠実に生き、本質を求め、いつまでも熱く。@1986Negishi ◉誰も置いてかない。みんなで笑う。@ASNHN48NKsaka ◉自分の好きを大切に、いつも心に幸せを感じる。もみーにょ ◉承認する。関わる全ての人を。そして自分自身を。@gibkun1 ◉嫁へのマッサージを毎日！して嫁を幸せにする。嫁に日々感謝。@pythonmanhh ◉最高の仲間と最高の時間を過ごす為、今の孤独を全力で生きる。@haruyama_masaki ◉好きな音楽。落ち込んだ時もこれを聴いてやってやろうと思う事。@saruman5shin ◉正しさよりも、どちらが好きかで決める人生。@kinnnikumama ◉人々を幸せに、笑顔に導く。@16To_Mo ◉自分を信じること　周りを愛すること　明日を夢見ること。@marimekko_m ◉笑って死ぬ。いつでも。@9uv9uv ◉集団の中の1人になるな、集団の中の孤となれ。ミキヤ ◉自由気ままに！！！@s_shun121 ◉『守るもの』と『好きなもの』を大切にする。ピャーコ ◉アジアの逆転劇を通し、皆と人生の逆転劇を演じきる。のぶよし ◉心赴くままに、そして心熱く取り組んでいたい。@Kawasho_89 ◉成せば成る何事も 後悔しない人生。叶兄弟 Youtuber ◉人生1度きり。今が1番若い！@7mBLpTyyMBgRKoK ◉過去の自分に誇れる自分でいる！@PageNotatall ◉心を優しく強くたくましく生きたい。@ma7emon ◉常識を疑い、より良いものにアップデートしていく！@gammax_kei ◉諦めない。夢を追い続ける。1991_ren ◉人生を楽しんで、家族との時間を笑顔で満たしたい。@tera5701 ◉会計の力でできるだけ多くの人を幸せにする。@TomIsHere078 ◉正しいと思ったことをやる。@Tsutomu_eng ◉植物の香りや力で、周りの人のカラダとココロを元気にしたい。なかむら ◉漆の新しい力を見つけ形にする。そして漆を好きになってもらう。@mutohisayoshi ◉外にいるときは、なるべく色々な所を見て偶然に出会う楽しみ。つくしんぼう ◉自分の知的好奇心に忠実に。知の探求の楽しさを人々に伝える。@caelum_555 ◉好きなことをする。@dendencarp ◉KENKOを最高のステータスに。@yokoi3710 ◉”誰かのいらない、つまらないを新たな形へ。“@shown_ghost_ ◉自分の好きに集中する。自分のストライクゾーンの中で生きる。@yusukeworld_ ◉「楽しい」を形にする。@ryoki_ono ◉人生の選択肢をふやす。@azuma_ru ◉笑顔。のぎえもん ◉自己欺瞞を許さず、自分のためまわりにいる人を幸せにするため生きる。工藤まさひろ ◉感謝の気持ちを忘れずに。@KEVIKAVA ◉清く、楽しく、麗しく。@sayurin714 ◉たくさんの事にチャレンジしたい。@p_f_k_d ◉人に喜んでもらえる“まろやかなエゴ @kazuotaicho ◉何度失敗しても自分自身に挑戦し続ける。アスリート上野 ◉全力で楽しめる事のみやる。@takumi__1205 ◉まわりの人とおもしろいを大事に。@yumixt ◉大切な人と自分の幸福度を上げることに人生を使う。@shohei_ukai ◉掌の上で踊る。samurai_asia_ ◉人を笑顔にするために、まずは自分が笑顔でいるよう全力を捧ぐ。@shihokawakami ◉未だ懲りず。@MarikoA11 ◉他人の目なんか気にせず自分の道を突っ走る。@C_nldh ◉自分の成長のために、今を精一杯生きる。iro03468318 ◉好奇心を原動力に。@hiroto_0203 ◉忙しい時ほど余裕を持って、ムカつく時ほど笑顔で行動する！@jimbukento ◉周りを笑顔に（^ ^）そのために、まず自分が楽しむ！@kei6868 ◉死ぬ時にまた同じ自分に生まれ変わりたいって言いたい！上原信一 ◉夢みたいなことを圧倒的努力で叶えて過去の自分に見せてあげたい。@YMDTRUMG ◉自分をワクワクさせる自分でいる。人に対して誠実に向き合う。@daichihirayama ◉可能性に恋をする。@IT_Being ◉Sense of humor, sense of mortality.@NozakiTomokuni ◉好奇心を持ち続けて生きたい道を自らの手で切り開いていきたい。knkshow_ ◉ナンバーワンかつオンリーワン。@GakuMa2mo10

◉今が1番楽しい！より多くの景色を仲間と見る！@h962_smile ◉止まるな、やるしかねぇんだ！！@ebi7xxx ◉1番下を見た者は誰にでも優しく出来る。@kousei8539 ◉圧倒的な人間になる。@norio0404 ◉面白いことをバランスよく。@enjoy_goodjob ◉めぐり逢いは偶然ではなく必然。そのすべてに感謝して生きる。@aoi6_tsuki26 ◉人と全生き物の幸せの為に命を燃やし、次の時代にバトンをつなぐ。@Aritomo0620 ◉人に寄り添い、勇気づけ、ともに笑う。リエラ ◉みんなが生きやすくなる社会にする。k__takaue ◉先憂後楽、目配り気配り、ゴミ拾い。@wachiro113 ◉笑う感情は人類の専売特許やっ。@BlogKinoryu ◉かっこよくてださくて賢くてあほなやつであり続ける。@shunrunrun ◉誰も成してない事を考え実現し、地元に笑顔と心踊る機会を創る。@carpkozou1973 ◉自分が何をすべきかは、心の声が教えてくれる。nakacchan77 ◉自分の声を聞き、自分と仲良しでいること。まずは自分を愛すること。磯貝 直美 ◉笑いがある生活を。@Daruma_GameRoom ◉自分を天才と思う事。@jun_takemura_ ◉まわりに好きをふやしてく。あくみ ◉ブッ飛んだ思考で死ぬまで、自分探しの旅路を駆け抜ける！ダルマニアン ◉自分の心の感覚に従い、小さな事にも幸せを見出し、感謝と笑顔と素直さを忘れない。@xoxo_natsuki ◉極限まで自分を突き離し、自分の可能性で遊ぶ。@quddila ◉夢や幸せに対するハードルは低く、でも夢や幸せの実現には貪欲に。@skrmt73 ◉清く正しく美しく愛にあふれる革命家。税理士うばとしこ ◉どこまでもいける。なんだってできる。自分が決めるだけ。 @chisa_0701 ◉目の前の人を笑顔にする。k_inokawa ◉人生の"微分・積分"を大切にし、かけがえのない人生に熱狂する。@tolehico ◉感謝の気持ちを持って人と接する。hrk9725 ◉患者さんが安心して治療に臨める世界を作る。@kazu_bou21 ◉一緒にいたい人への徹底的なGIVEが人生を作る。@SOGEKI_KING ◉女は度胸。何事にも挑戦。@mihori_0429 ◉迷ったら面白そうな方に手を出す。@SakiyamaSunao ◉自分の幸せは自分で創り出す。@osamerulab ◉この世の色んなモノゴトに、光景に、人に、自分に、感動する事。@Satos_Cafe_Bar ◉叶えたい事は口にする。そして感謝と笑顔を忘れない。@vanillaNP ◉自分に関わる人を全員笑顔にする。@colon_colon323 ◉クルマでアナタを笑顔にしたい。@akinarikoga ◉路上生活者問題をより良い方向へ、思いやりに溢れる社会へ。@saaay_mu ◉圧倒的に信じる。@K_shonan8174 ◉人任せにせず、何でも自分ごととしてやってみる。itokenzo_ ◉人の気持ちに寄り添う共感性が高価値と理解される社会を作る。@YASU_FK ◉人生は冒険だ！@uunniiccoo ◉脱固定概念。とにかく挑戦。@Reboot_yasu ◉自分の考えを大切にする。@kkn_net ◉みんな違って、みんないいんや。@flower33334 ◉（よく考えた上で）迷ったらGO！@agu_agu_channel ◉プライベートも仕事も全ては遊び。人生楽しんだ奴が最強。@guslegal ◉死ぬまで成長しつづけろ。ひろ ◉家族・仲間と笑う、変化し続ける、人の役に立つ。@szk3 ◉心の救いになるもの、生き続けるものを創る。yoshimasa.laurant ◉芯をもち、柔らかく生きる。@kludate ◉実体のないものが、実体を支配する。@kesopotamia ◉自分の人生は、まず自分を楽しませるためにある。@ONCEofONCE ◉すべての人の自己実現を自由にする。@mkob22 ◉家族や仲間とともに楽しく生きる。@kokko_tw ◉逆境をえらび、変わるをたのしむ。@stnj_20sgi30 ◉右足を踏んだら左足があがる。続けていれば自転車は進む。@pulecharii ◉1日24時間、平等に与えられた時間を誰よりも楽しむ。ヒップスター竹本 ◉誰かの世界を広げるために挑み続けること。@kumayu333 ◉自分自身に嘘をつかない、現状を変化させることを恐れない。mdsh ◉興味が湧いた事は、すぐ試す、計画して実行する。@lego2077 ◉今この瞬間を楽しみ、自分を使い切る。SkySeedTK ◉へんてこなくらいが丁度いい。@_oh_oh_oh_oh ◉自分の機嫌は自分でとる。@selmdiet ◉まじめにふざける。まじめに遊ぶ。@VERTY_STEWHEDD

◉多少無理してでも、やりたい事全部頑張る！生きる！ Hirokazu_zero ◉感謝して、感謝を作る。感謝を作れる人を作ってく。@yukke_1995 ◉もう逃げない。過去からもう逃げない。堂々と生きる。まっつぁんてぃーに ◉好奇心を絶やさない。@ecw2001 ◉ワクワクすること、幸せなこと、辛いことなど家族で共有して楽しく生きる！あいまい ◉素直で正直。それが一番自分の経験や成長を呼び込める。@showr_3 ◉常に挑戦し続ける。@toru08031 ◉過去は変えられる。@satoj0425 ◉実績よりも、人を残す生き方をしたい。@machireo_blog ◉自分と自分に関わる人の感動をたくさん。Ryo Bando ◉大事なのは何かを起こすこと。中屋敷龍太郎 ◉面白いかどうか。古俣亮子 ◉自利利他。青柳 和也 ◉一番近い人を一番大切にする。mukku0627 ◉人は人。自分は自分。代わりはどこにもいない。石榑明子 ◉カッコよく生きる。村上智規 ◉接客業。柴田怜美 ◉面白いかどうか。人間のリアクションがたくさん見たい。加藤博司 ◉本質的に大事なものを見極める。市倉悠気 ◉適度に抜く肩の力。suzuca950 ◉右肩上がり。波多野佑亮 ◉笑い。@hidex97 ◉一生青春。深澤 順 ◉無邪気をきわめる。糸山あゆみ ◉自分として生まれてきてよかったと思える人生に。山崎大輝 ◉SHOW MUST GO ON. matsu_vr ◉誰かのきっかけになれるように自分のやれることを全力で。saitoryc ◉何事も楽しく、遊びにマジメ。玄光秀 ◉人類皆地球人。KWON.CHORO ◉人に尽くす。植村 拳斗 ◉真剣に遊ぶ。yutomakino ◉全力で挑戦したことは後悔しない。Otto13 ◉自分と周りの人の人生を豊かに。山本紗也華 ◉好きな人を守る！ kanrooom ◉まずは自分が楽しむ。中村直人 ◉未来を語るときは笑顔で。石川優司 ◉他人は自分のことなんて大して気にかけていない。shohaya ◉楽。honopi ◉一生懸命は人の心を打つ。ohsuga ◉明日のことは考えない。moeko_o ◉過ちて改めざる、是を過ちという。Ju Hao Er ◉自分。山辺浩平 ◉自分に関わるすべての人に幸せを。大谷眞慶 ◉わからないことをして、わからなかったことをわかるようにする。yanap ◉自分にとって大切なことをぶらさない。Arisa Matsuo ◉なりたい自分になっているか。Madoka Mieda ◉真剣にやれ。zen ◉身近な人を大事にする。伊豆本誠 ◉今日できる事を明日に伸ばさない。むんむん ◉真摯に楽しく生きる。@Iketaki ◉存在意義を見出す。小林千晶 ◉人生は旅。出会いとアクシデントを楽しむ。下山哲弘 ◉強く生きる。@yasei_no_otoko ◉感情が揺さぶられる体験を生み出す、動く。@yasao ◉一生パリピ。DJふもっふ @高星聖香 ◉やりたいことを全部やる。稲永あゆみ ◉いつ死ぬかわからないから好きなことをやる。黒澤奈沙 ◉言いたい奴には言わせておけ。TsujiYosuke ◉GIVE & GIVE。tamaki ◉正義を正義とする精神。愚直にして真実を貫く人生。金子太郎 ◉自分のことを他人事のように楽しむ。@shop_0761 ◉超えられない壁はない。TT ◉好奇心ファースト。@izm ◉欲しいものは手に入れる。Mari Iwata ◉真っ直ぐ、実直に愚直に、誠意をもって。岡本千 ◉他の人のために生きる〜病は気から、白血病だって治る〜 @seiyaaaaaaa ◉移動距離×出会い×熱中＝幸せ。お金＜友達と家族の笑顔。@onikumankota ◉授かった命の証を、この世のために資産として形に残せるかどうか。@shepom ◉思考を回し続け常にアップデート。@Etsuya ◉人の魂を震わせることをやり続けたい。@kibo_______ ◉出会えた方々と、ヨガと大好きを抱えて生きる。@yuuka_ikenaga ◉刺激と達成感の追求。MST ◉悩み考え転びながら自分を見つける。@rytucd ◉じぶんの大切にしたいものが何かを、ちゃんと知ること。@ichigoyaichie ◉ブレない愛と優しさ。@mireijoze ◉家族のサポートをすることで自分の生涯労働賃金以上の成果を出す。@ochime124 ◉ルールは1つ、創造的探究心を高められるか。@kimiyashouten_official ◉愛する子ども達の未来と応援してくださる方への恩返し。@private_and_heart ◉いつまでもワクワクする人生を。@jun.86542 ◉好奇心。まだやったことのない、新しい仕事を求め続ける。@pekochou ◉日本語を学んでくれている人々に誇れる日本を作る。@fa_jackb

◉自力でたらふく自由が出来て自分と大切な人を守る為にいっぱい稼ぐ。@PLUTO5110 ◉「キモノ」を通して誰かの人生を変えるお手伝いをする。@eemm07263 ◉常識と前列に囚われず最速で期待を超えていくこと。松本果歩 ◉「できない」を「できる」へ。「やりたい」を「やる」へ。@i_am_yakiimer 12 ◉とても小さい一歩でも、ちゃんと前に進む。@ymurasji ◉人生やりたい事やりまくって思いっきり楽しんでやる！@hiroki0ko ◉今、やりたいことをやろう。@asuasu1818 ◉"何をするか"よりも"誰と生きるか"。@chika_030 ◉『常に、今・今・今』今を楽しむ。@ryukotobuki ◉何があっても家族を守れるだけの金を稼ぐ。@yuuuz_0922 ◉死ぬまでジュエリーを作り続けて幸せに生きる。@yuki_ueyama ◉人生軸を見つける事。@akiri tamuri ◉毎日全力投球。@chama_0622 ◉尊敬される治療家であり家族が笑顔で幸せになること。@eucalyosteopathy ◉何よりもスピード勝負で。@shinyakoyanagi ◉人は皆平等で、最高！人と社会のパフォーマンスと愛の力を追求！@ticco888 ◉初体験を恐れず冒険に挑み続け、自分の人生を生きる！@smoothie_in ◉なりたいものになれるのは、なろうとしたものだけ。ASKA ◉小さな笑いと幸せを感じるツボを見つけさり気なくそっと押していく。@kiyoto0625 ◉自分の気持ちに正直に生きる。@ktkd524 ◉気持ちを大切に、心踊るコトをとりあえずやってみる。@shota_zetsu ◉日本を"誰もが夢見る老後を過ごしたい国No.1"に育てる。@rnrina ◉どんなことも楽しむ。IPY ◉人を想い、自分の価値観を見捨てず、今を生きる。@k_ok12 ◉海賊であれ。@teppei0215 ◉人と人、人と時間を愛で繋ぐ。@masicbox ◉ワクワクする事へ猪突猛進。@youkienow ◉豊かで幸せなお金持ちになる為に今を精一杯行動し楽しむ！@chikakitano ◉やりたい事をとことんやる。私が選んだことが私の正解！@nami.1989 ◉仲間と共に今よりもより良い世界を創る。@yutahirai0614 ◉人との繋がりを作る、居場所（コミュニティ）作り。@kiitsu312 ◉家族や仲間の笑顔の為に動く。@ask8eisuke ◉人の行く裏に道あり花の山、常に逆張りの人生を送りたい。@ucks0921 ◉笑いと感情。もっち ◉困難は越えられる事しか来ない。打つ手は無限。@ryousuke.doi ◉世界の今に影響を与えたい。@sakura812d6 ◉わくわくすることを伝染させ、周りを楽しくしたい。@ayamorii ◉"明るく生きろ"父の遺言が私の軸となり生きる術。@bright_heart_yu ◉仕事、趣味、家族、自己成長など全てを大事にカラフルな人生。@ryu3628 ◉周りの人達を笑顔にする！そのために自分自身も楽しむ♪@eri1005 ◉ただひたすら心を込めて力を尽くす。@masumi.mori.501 ◉正しい道を選ぶのではなく、選んだ道を正解にする。@sohe12323 ◉自分の心が羅針盤。心に従って自分の人生を創造する！@erina_xoxo114 ◉他者目線と自己分析とバカになる。@kosaku8_8 ◉まっすぐ、素直に、感謝を忘れずに。@saki_organic ◉無限の可能性を引き出すため1cm,2cmでも今いざ動け！@2miko.book_com ◉人が持つ可能性を信じる。@NOY0513_ ◉自分の直感を信じて行動し、常に最強のバカと呼ばれ続けたい。@meicha.14 ◉努力の先の成長を素直に喜び、その先に必ず成功と感謝がくる！@mikenekorock.0626 ◉新しいことを受容して楽しむ。感謝の気持ちを忘れない。@itotaka1 ◉周囲への感謝と謙虚な姿勢を忘れず、自分自身を高めていく。@osakun528 ◉笑顔で楽しく生きる、そして周りにいる人達も笑顔にする。@mh_1110 ◉過去の思い出を大切にして今を生きる。@ak_6027 ◉「退屈しのぎ」なんて言葉が存在するほど退屈な人生はつまらない。@iro_ep ◉人の幸せを連鎖させるビジネスを実現する。@ya_su0208 ◉好きな事に向き合う姿勢や成果を出すことが大切な人の喜びである。@ohno0303 ◉楽しい事、やりたい事をする。しなかった事に後悔しないように。@guuuuuuon ◉バカはバカなりの頑張り方がある。下手でもやる。@ypkg.nakata ◉ワクワク・心地よさ・感謝。@shionne__ ◉もし生まれ変わっても、自分になりたいと思える人生を歩む。@megaaku_aiiro ◉全て"爽やか"に。@atosea1010 ◉感謝すること。@minaminami.y

◉身体の声を聞く。臭覚に頼る。今が将来を作っている事を認識する。@t.oooooo.r.u ◉感情に素直に。自分を信じて即行動即反応。@daisuke__Y ◉世界成功。成長と貢献。愛と冒険。正留世成 ◉コース料理ではなく、味噌汁を誰よりも美味しく作れる人になる。@fikaspica ◉しなやかに自由に。遊ぶように暮らす。@koeda_3 ◉諸行無常。だからNoblesse Oblige.@heartlips ◉大事な人に「寂しい」感情を持たせない。普通の人にならない。@ys_chocola ◉みんなやりたいことやろうよ！やらない後悔だけはしない。@ithoiku ◉ギブアンドギブ、そしてギブ。@k.a.1026 ◉人との出会いを大切にして思いやりを持って生きる。@masao24 ◉人間関係は鏡。全ては自己責任。常に楽しく全力で。@hiyokogaumareta ◉自身の成長。その成長から周囲の人が幸せな気持ちを感じる事。Yuka Inose ◉生まれたときより、地球を良くして死にゆく。@nabe__________ ◉Yo necesito Ousadia e alegria.@pome_kawaii_wakaru ◉勝利の女神は細部に宿る。レッチリード ◉1度きりの人生における機会の最大化。@yuim111 ◉極限まで悩み楽しんで創った仕事は必ず光り輝く。@emuegoist ◉仲間とともに成長。みんなと幸せを共有。小森雅之 ◉人生は楽しむためにしかない。@yuko _h _run ◉自分次第で変わる。@tuttier9 ◉応援し、応援される人生。@cheer__chitan ◉勝ち続ける。@DELTAPLUS08 ◉人間力×コミュ力×実行力＝幸せ。ローカルでアーバン的な暮らし。@keyko_uchida ◉常に挑戦。@kura_aruk ◉どこまでも本物を追い求める。@tomorrow ◉子供達に人生の選択肢を増やす。@aki_miyagawa ◉目に映る物事、全てが真実とは限らない。@2haze_0101 ◉決断が遅くなったとしても考える事をサボらない。@jorujiimo ◉直感、熱狂、タイミング、ご縁を大切に。@Nogw_japan ◉だって 仕方ないやん。私がやらな誰がやるん。@huoshizun ◉自分一人で大きくなったのではない。お陰さまがある。@fukuwata55 ◉全ての事を自分の為だと思って受け止める。@daichi_1205_bbss66 ◉素直にワクワクすることをし、相手がハッピーになることをする。@amamian4 ◉「縁」によって今がある。家族と人との出会いは大切に。@kentaro.pt ◉「想い」が周りを変える。ファンファーレ松本 ◉「自分は出来る男」という定義の仮説と検証。@yusuke.yamamoto.1 ◉人生は自分が主人公の物語。自分が面白いと思う物語を描く。@taaatyun ◉布貼り小物・ご飯やお菓子を手作りして、暮らしを楽しむ母でいる。@akko.hakko ◉それはやさしいか、誰かを悲しませていないか。@daison_jp ◉人生、諦めなければ夢が目標になり目的に変わり、叶う。@koimetakako ◉人を幸せにして自分も幸せになるビジネスを生み出す。@imaichan_stamps ◉失敗や試練はチャンスと感謝であり、どんな出会いも縁であり財産。@keiko_ito0131 ◉人の固定観念を取っ払う。失敗は成功の前振り。@kaiak324 ◉今日は残りの人生の最初の一日。@kueenhgaora ◉自分に正直に生きる。Nachi ◉目の前のことに感謝しながら全力で立ち向かう。@natue ◉思考停止は心肺停止。生きてる限り考え続ける。@Eiki_0706 ◉興味を持ったら即行動。@k.miyamiya ◉大切な人を大切にする！LOVE&FREE☆@27suke89 ◉三心「好奇心、学ぶ心、向上心」@yutaro0208 ◉人生は多分未来からのシュミレ―ト。@yuki―honda ◉倒れても立ち上がる。いつだってこれからだから。@rlyu1 ◉昨日できなかったことを今日できるようにする。@pad_ktak ◉真面目で誠実からブレない！最初の1回目のハードルを乗り越える！@szmetal ◉一瞬でも誰かの血肉に刻み込まれる活力を生む、その力添えをする。@m__takeru ◉「好きなこと」で人の役に立つ人間になる。@kumiko.japan.ishikawa ◉失敗とか間違いをたくさんする。そしてそのあと、笑いに変える。@kkkeke ◉何事も楽しみながら、全力で取り組む。@karl1226 ◉今を楽しむ。福井ではできないことをやる！@saaapy27 ◉芯のあるカメレオン。佐藤方彦 ◉地球を救う！@maycolorfulsheep ◉『侍マーケター』として世界を豊かにする戦略を生み出し続ける！@taka19dgs3 ◉自分に嘘をつかない。今ワクワクすることに失敗を恐れず挑戦。@juri24d

◉『おもてなし』の形をアップデートし続ける。@asunaro_yuuki ◉サッカーを通して人を幸せにする。@soccer_5751 ◉世界で一番僕が好き。@shinnosukenuma ◉今、ここを生きる。@uksrie ◉相手に与えてあげられる余裕と自信をつける☻まずは家族から。@mariko.s0322 ◉千里の行も足下に始まる コツコツと積み重ねる。@cookinggolfer ◉自分の感情に耳を傾ける。@gayufee ◉人を裏切る嘘をつかない。@golikyua ◉誰しもの居場所を作ること。@5wFuz ◉結局、自分の人生しか生きられないから実直に行こう！@fumi.co_trip ◉人は人でしか生かされない。今、この瞬間に感謝する。@nori.m1990 ◉ヒトを使ってモノを売るのではなく、モノを使ってヒトを売る。@matsuoka___yuki ◉私が私にならないで、誰が私になる。@itoxicated ◉優越感。誰もやったことがない事への挑戦。@aoi_miyashita ◉おこがましいが世界平和。@ram_rin_ ◉過去の事実は変えられないが、解釈は変えることができる。メタグロス300 ◉ビッグになる。がうち ◉津留崎が日本のトレードマークになり、健康を発信する！@tsurusaki12 ◉みんなが住みたいと思う地元を創る！世界一の街『山本町』@fsia.tadashi ◉すべてに完璧を求めすぎず、力を抜いて楽しむ余裕を持つ。Mkuru ◉「どんな道を選んでも幸せしか待っていない」と自分を信じ続ける。@ayaca.jewel ◉外向性をもったギークたれ。@ponpon ◉なるべく否定しない。@a.esk ◉感謝を忘れず、気持ちに素直な選択をし、過去を後悔しない。NishiKenty ◉感謝し与える人生、自立し主体的に、周囲を幸せにする。@yohei0513 ◉すべての出会いは良い出会い。出会い運に感謝。@miguel.chinen ◉幸せをつくって、幸せになってもらう。そして自分も幸せになる。@mainstreet_10 ◉なんか面白いって奴でいること。何が起こるかわからないを楽しむ。@fatpig_teablender ◉フェアであること。@photo_miyama ◉好奇心を止めず、挑戦を諦めない。@taka_0506 ◉言い訳をして夢を諦めない。MaiMai ◉ワクワクする気持ちに生かされる。@mmme_o0 ◉人生今が最高！過去に囚われない！@smr_875 ◉自分に素直に、楽しむことを優先する！@kekotaromero ◉子供の様に小事に感動する力と興味を持つ能力を忘れずに生きる。@tatz__ ◉人間主義。信じる心で、人との縁を大事にする。@shin-san518 ◉正しく生きる。@mariemomoka316 ◉陰陽を包括して生きる。@atto314 ◉人生フルスイング。@ziyasumin8603 ◉大好きな人を幸せにする。自分の限界を決めない。@yukie.sg1109 ◉一人よがりで手に入れた能力がある。これで人を笑顔にしたい！@roccol_admiral ◉探究心 好奇心の赴くままに、自分に正直に生きる。@kunicapa ◉何があっても反省しない！@hirokionuma ◉好きな人や好きなコト。好きを大事にする。@aichan8412 ◉あきらめるな あきらめたら何も残らない。毎日笑顔。@er1na.84 ◉本気と努力が実現させる可能性の大きさを、自らの生き方をもって体現する。@satonaka.piano9 ◉雨の日に優しく咲く紫陽花の様な人でありたい。@m.ebifurai ◉大切な人と過ごす時間を大事にする。@naonemo326 ◉自分の価値観を大切にし、大切にしたい人を大切にする！@ninomiya yusuke ◉人感万事塞翁が馬 人事を尽くして天命を待つ。@monkeyturn6899 ◉不変性を求め執念深く美しく、かつ主体的に自由に変化し続ける。@hisui_04 ◉主体的に生きると人生楽しくなる。@chorokin ◉常に考えに疑問を持ち、一歩深掘りすることをやめない。@kiripan ◉世の中に笑顔を増やすこと。常に挑戦者であること。@kayokayo901 ◉感謝忘れず全て懸けて好きな人達を喜ばせる。見返りは求めない。@nozaryuuu ◉父親への反発心。@shinji.227 ◉人を必要とし、人から必要とされる人間になる。木内旭洋 ◉手の届く範囲の人を幸せにする。@socha_san ◉素直に、貪欲に生きる。@yuu.hz ◉素直さ謙虚さ愛情深さ、思いやり溢れる心でどんな時もありたい。@haruka__0222 ◉美容を通して携わる人と家族をより豊かにしていく事。@ash_yamada_272 ◉軸を程よくぶらす。@atsushi.nishikawa7 ◉自分の魂の本当の叫びに従って生きる。@kojichia35 ◉自分に正直に自然や人間関係を大切に。好きを探求して常に冒険する。@soulsurfer_12

◉言葉や文化の垣根なくグローバルに人を繋ぎ、みんなで幸せになる。@emiko.miyazaki ◉意志あるところに道は開ける。@haku_a_yuki ◉諸行無常，御先祖様と御縁があって己がいる，日々感謝.@taichan39 ◉心がワクワクする方に向かう。@masashi7794 ◉家族を大切にし、新しきを作り世界を変える。@gkm045689 ◉ほんと気持ちが全て。毎日が笑顔、毎日が最高！@taka.t ◉自分のためだけの嘘はつかない。@ryoukyou ◉信じているのは自分だけだけど、誰かと一緒にいるのは幸せ。@ciel ◉わくわくするかどうか。@tommy700770 ◉様々な人の想いや考えに触れる。@ei.tomi1007 ◉個人でインフラ事業が出来る時代が来た！いざ、仲間と共に進む！@univa.6 ◉全てにおいて美しさとはなにか？を考え行動する。@ken.1287 ◉人生に無駄なものなど一つもない。全ての事に意味がある。勢力匡展 ◉自分が幸せを感じるとともに、それをマスに伝播させる。@nananaokiu ◉壊れるほど愛しても1/3も伝わらないなら死ぬまでナルシスト。@moriiiiiiio ◉違いと変化を楽しむ。相手も自分も、人と違うことを最大限に活かす。@aya_legend0718 ◉美しさや喜びに素直に自分のオリジナルを追求し愛をもって発信、発言する。@maki ◉経験の少ない人生より酸いも甘いも知った人生を歩む。@m.e.e.i. ◉楽しそうな道を歩いて行く。@tomonp_ ◉その人を良くするのも悪くするのも人。人の繋がりって素敵。@takeshi_fukazu ◉地球人類を救う。@mami_desu_konnichiwa ◉自分の感覚を無視せず、やりたいことを自ら叶えていく。@kiko_kdc ◉仲間が持つ情熱の起爆剤になり、夢の可能性を広げる。@mAsAyA960908 ◉子どもの心に火をつけ、絶やさない社会をつくる@yamayuu_sns ◉居場所を作りたい@akubichandobin ◉文章で、人の考え方をちょこっとでもアップデートさせたいおそと@大学生ブロガー ◉人が涙を流し、一歩踏み出す瞬間に寄り添っていきたいすみちゃん∞ ◉育ったまち、影響を与えてくれたひとに恩返しがしたい飯室達也 ◉満足行くまで英語を学習し続けること。多分満足はしない。@porsche__356a ◉存在の証明@ZOGUTTER ◉まだこの世に存在しない、新しいことに取り組めているか@0000_pg ◉過去や未来じゃなくて、今を大切に楽しく狂おしく生きる！かとうりさ@灼熱のSNSカウンセラー ◉覚悟を決めたら捨て身でやる！@11Eita11 ◉お金の心配なんてせずに暮らしたいkikimi ◉先輩から評価され、同級生・後輩から頼られる人材になる！@keshiro_toeic ◉周りの人間に左右されず、自分を貫き通す！カケル ◉大好きな人と一緒に幸せになる。@minoma ◉何事も、自分で選んだ結果ならば、幸せである！わさお ◉メモは忘れるためにする。minaki55 ◉適度なストレスで人生を楽しむ庄田雄貴 ◉互いの文化を尊重し、目の前の人を笑顔にしたい@sudacchi63 ◉もし僕が死んだと聞いた時に泣いてくれるような人間関係を創るsugitkc ◉我流を通す諦めない心就活さん ◉精一杯の未完成@miatomo ◉美しいもの・洗練されたものに触れていられること@KosukeSaigusa ◉反省はするが後悔はしない。次に活かすpokertarou ◉夢を叶えるためにがんばる人を応援したいshin_CloudFund ◉訪れた人に自分が住むまちを褒めてもらえるようなワクワクを創るSeiya_Yoshimune ◉世の中の天才をこの手で守ること@miracling33 ◉本物の自由を手に入れる@YMKRYT ◉今ある幸せを大切にして、ワクワクして最後まで生き抜くRIZEMaki0806 ◉やらない後悔よりやる後悔太田 昂平 ◉ダイジョウブ、君の上の空も世界の真ん中の空(eear_mihoboo ◉隣人の人生の主役は隣人自身だという事を理解して全力応援する@GlamaniaKinue ◉その瞬間瞬間、面白くてバカになれることを選択して生きるムロさん ◉最高に熱い仲間と、多くの若者が夢を語る世界を作る@t_a14n ◉過去の後悔を自分が成長出来た要因と言えるようにする！KENC_MK ◉いくつになってもチャレンジする親でいる@suzutomo_life ◉やりたいことはやってみる@tomoyadogs ◉『今を生きる』今しかできないことを全力で楽しむ@ksmuuuuu ◉常にアンテナを張り、自分の「面白そう」を追求する@Fujiki_Mikiya ◉楽しいキッカケづくりスージー

◉社会に意義のあることを仲間と創り、多くの人に感謝されること @w888r100 ◉やりたいことは全部挑戦する！全ては話題のネタ作り @_masuda_H ◉好きな人たちと好きなときに好きなだけ好きなことをする デリパ さや ◉わからなかったがわかるに変わるそんな毎日にしたい @teramachi ◉人生の軸は、革命！ @Nittasis ◉人生の軸「負けない。外的環境や精神状態に負け際 ◉己の極限を超え、己の極意を以って、己の人生を極める ゴルフ侍 ◉やりたい事がやりたい時にできる キー坊 ◉天才の身体の使い方を解き明かす！ 身体研究家下村明人 ◉人と違う選択肢を、have toよりwant toの人生を。REO ◉等身大の言葉を伝える @seek23fml ◉健康第一、家族第一！そして、W杯日本再開催で日本代表初優勝！ @yasuokabe ◉目の前にある面白そうなことを取捨選択せずに楽しむ mogi ◉チヤホヤされなくても自分がしていたいことに全ての熱を注ぐ @8kilogram ◉自分が興味を持ったものに対して、とりあえず飛びついて体験する @tachibanaNEET ◉死を知り、生を知る。そして、今この瞬間を心から愛する ペットロスカウンセラー川崎恵 ◉その先に自分の胸を熱くさせる何かがある！！寄り道は可能性の旅 @atsuhiro0613 ◉自分の思いに純粋であること しゅーと ◉自分にウソをつかない！経験に勝るものなし！自分を大切に @happy_saaya0614 ◉自分が自分であること。目の前の世界に感覚を全開放させる。rickey☆彡 ◉なりたい自分になる。やりたいことを全部やる。@uchinocome ◉見渡せばいいことだらけ、いい時代に生まれてこれてラッキー @poq_poq_poq ◉自分の人生に関わってくださる皆さんを幸せにする 東京なおみ ◉様々なことに好奇心を持つことで自分をアップデートし続けたい @UMA_SKI ◉家族の幸せ。息子にかっこいいママと背中で語れる女性に！ @osachihappy ◉変化を恐れず、好きな人とワクワクした毎日を過ごすこと さとしょー ◉これまでの経験を活かし、人のため、事業の成長のために貢献する @Tomomasa_Nagano ◉明日死んでも後悔しない今日 @ttkyyoshida ◉自他へのリスペクトを忘れない。昨日の自分に勝てばそれでよし。@kinpatu_com ◉生活自体が問題提起になる生き方をし、あらゆる可能性に没入したい @shiwakeya_yu ◉YouTuberとして、成功し親に恩返しをする @ADAM ◉自分に正直に、もがきながらも納得解を求め続け、未知の未来へ進む勇気を忘れない @KOMUSUBI10 ◉喜怒哀楽を超えた、トリハダものの瞬間を一般化すること。@watabe23 ◉生活するように働き、働くように生活すること とだけん ◉楽 ゴマちゃん人生散歩 ◉サッカーで生き、サッカーに貢献すること @haratake0829 ◉自分の気持ちにウソをつかず好奇心を満たしてゴーゴーし続ける ゴーゴーケンゴ ◉瞬間と瞬間の爆発！今、この瞬間に集中して全力で生きる @sa1lucky ◉苦しんでいる人のこれからを応援できるような作品を生涯作る 河野大樹ブス界へようこそ ◉自分の感性を信じて、面白いと思うことにチャレンジしていきたい @kichobee ◉無我夢中になれることで人の役に立つ。@sn_kazu515 ◉"今"を最大限に謳歌する ヒラノタクミ ◉自分のために努力し、自分のために人の幸せを願い、自分のために人を助ける。@4580Ki010 ◉未来の子供達のため持続可能な社会を作る〜教育と生産性向上〜 @DEN02_20NED ◉自分がおもしろいか。自分が納得するか。自分が何をするか。@masataka_net ◉妄想と純粋さを忘れず、努力し続けて内側から美しく儚く生きる @yukana_kamura ◉今日自分が去るなら、それが本当にやりたい事、楽しい事なのか ペイパール ◉自分一人で何とかしようとせず、組織のために効率良く誰かを頼る @Miiita_Riiita ◉身近なエンターテイナー @chibiz862411 ◉とにかくポジティブに！笑顔でチャレンジ！ @jefjefys ◉無理しすぎずに、生きていく。@enagasatomi ◉未知への好奇心を大切にし、如何なる場所でも、愛される人でいる @Cambodia_Shosha ◉集団と個人の自己実現力と自己治癒力を信じて解放する @UmemuraTakeyuki ◉子どもたちの未来の日本を想像×創造してワクワク生きる★ @akanetabata ◉予定調和をぶっ壊せ。迷ったら一歩前へ。@mkkluc3 ◉新しい挑戦で世界を変えること @tommy_7_7 ◉人は、一瞬で、変われる @432jun1

◉友達、仲間と一緒に楽しく生きていく！與那城 日向 ◉馬鹿にされても、なりたい、やりたいことをする @yuki_ash0305 ◉自分にしか出来ない面白さを追求する哉直島福 ◉質素倹約足るを知る。アートに生きる。@katmin_5z ◉人と人との出逢いを生むコミュニティをデザイン @kensei9111 ◉志をもって道を拓く @s0SIWU10OoJBCJN ◉疲れた人が見て、ちょっぴり元気になる絵を描く。@OBOtto_ ◉多くの出会った人達のチカラになれる人になるガティでガッチャン ◉気の合う仲間とウェイウェイしながら楽しく生きていく！@faavohakata ◉孤高であっても、自分だけの山の頂を @tomitafb ◉妻の幸せが家族の幸せになり私の幸せになる @kigeshimajikana ◉変化を恐れずに楽しむ、きっとなんとかなる @y_6_5_ ◉尊敬する、支えて下さる、信じて付いてきてくれる方が喜ばせたい @macha_freelance ◉自分と仲間に選択肢を増やす事で、想いを形にする機会を増やすこたにまさみ ◉自分の時間を生きる @YSMTR_JP ◉認めたくない現実を受け入れた先に一線の光が差す @zambian_run ◉とにかく前へ。楽しいことを溢れさせる @tentenpoipoi ◉優しいは強いの反対語じゃない。自分がどんなに傷ついても、人に優しくある事を貫く！@kkmaruyama ◉Health × Write で Happiness の創造を @yoshiki7318 ◉1人の人を大切にする @ngckzr ◉双方向性あるジャンクな空間と人を創り続けたい。@melodyland_m ◉still i rise. 何度だって立ち上がって挑戦する。@kakky_k ◉興味のあることに、とことん挑戦する！@yumieto02829 ◉過去と他人は変えられないけど、未来と自分は変えられる。まい@三倍速 ◉今を生きる。人生はシンプルだ。@A0719EI ◉まず最初に自分が楽しむ @ryoyyay ◉自分がされて嫌なことはしない、されて嬉しいことをする @tetsuwo311 ◉ストレスを溜めないのが第一！気になることは全部かじってみる！@hajimari_8401 ◉英語のせいで可能性をつぶされそうな人をひとりでも多く救う @porpor35 ◉『豊かさ＝振れ幅』。家族と仲間と、振れ幅を味わい切ること @ryoheiikeda ◉ノリと勢いで世界中の人を感動させる！@mc_pei0412 ◉どんな事に対しても、バカ正直な自分でいる。善かれ悪しかれ。@sentaisaku ◉道端に落ちているゴミを1つ拾うかのように、1を積み重ね続ける。@bignoblemen ◉家族の笑顔。いつだってこれを最優先に考えれば幸せは続くはず @Matsuw0 ◉生きてるだけでとりあえずオッケー！@T_FUJI_SAWA ◉考え続けることを諦めない。限界にブチ当たっても生き続ける。@GIANT_killingme ◉自分がワクワクする事へのインプットとアウトプット @kzysts26 ◉常に幸せでいると無敵。ものは言い様、考え様 @anocoro88 ◉温厚で穏やかに心豊かな生活と人間関係を築いていきたいよっしー ◉自分が本当にやりたいことを中心に今を考える @masasan914 ◉人々が仕事しながら旅をする社会の基盤を作りたい @sss_0105_1999 ◉忘れない 目の前で起きている全ての事に意味がある @kan_camera ◉偉大とは、明るいこと @kamijob_t ◉出会う人に幸せを感じて宝物になる写真・映像・言葉を残す @yorunsu00 ◉ワクワクに素直に世界に貢献しながら大好きな仲間と遊び続ける @koseren7521 ◉嫁を幸せにする @yhosokawa111 ◉未来の自分に向けて @kotekkoten ◉人生はゲーム。プレイヤーとしてゲームを楽しむ。@yama_zm ◉自分自身の中に自然とあふれる情熱と、友達や家族などの愛する人たちの笑顔を大切にすることです。@yomayoma55 ◉目の前の人の〈世界〉を平和で豊かにする @ShinjiOdahara ◉金や時間を言い訳に夢、目標を諦めない。常に夢を更新！@haruki_kodama ◉Punk is attitude, not style. 湯上がりパパ ◉夢やコンプレックスを諦めず、面白い居場所をみんなで創る！@nicohanbunko ◉他者への想像力をしっかり持ち、正直に生きたい。優しくなりたい。はっちー（苫小牧在住） ◉美味しいご飯を大切な人と食べる瞬間の幸せを最大化する！@inoichan ◉ヘアメイクの無限性を表現し続けて死ぬ。目指すは業界の異端児。@imomonmomomomo ◉自分が光となり、関わった人の心をてらし、背中を押せる人になる @enjinyuuji ◉人と分かり合えるという幸せを沢山つくりたい @iwaoTOKURA

◉“Everything happens for a reason.”悩んでないで考えて決めて行動しろ。@ryuicokmt ◉抱腹絶倒の毎日 @yukobom ◉自分も含めて、大好きな人と、出来るだけ多くの人を幸せにすること @ryo11814564 ◉まず自分、次に周りを幸せに ko_chan214 ◉素敵な音楽、人と出会うこと @arakawaku ◉次代を担うようぼくへ 日水信悟 ◉自分を好きに。気持ちは素直に。たけちー ◉自分らしさを大切にして、ワクワクした未来へ進む！ @0411hiromiracle ◉家族で楽しめること @import_eight ◉人を楽し喜ばせて笑わせる。自分自身が笑いながら。スナックどくろー ◉ネガティブもポジティブなインタラクション @Sugurutter ◉自分が本当に後悔しない人生を送る ぴっぴ ◉いつ死んでも悔いの残る人生を Ryosuke Hoshi ◉仕事 @o_tsuchida ◉やりたいと思ったことを今できること @yusuke3go ◉知的好奇心に従って、心地よい居場所でお金と幸せを引き寄せる やさしい糖尿病内科やまむらそう ◉死ぬ時に幸せだったと思うこと @Shall_we_break ◉美味しいご飯と大好きな人と地元 @HTK91889943 ◉人に迷惑をかけない。かけないなら何してもいい。かけたら謝る。@AqhiOh7GyhKkfwR ◉どれ程歳が離れてても、魅力ある人を尊敬し、学び、取り入れる 眠兎 ◉愛しぬく。包み込む。愛と正義と少しの工夫でなんとかなる。@hommy_jp ◉あらゆる事に見切り発車で飛び込む。sono（その） ◉思いやりの精神を忘れない @Kuma23Lion ◉いつもいつまでも「永遠の童心」でいたい。@DESIGN_NASU ◉人生は楽しいものじゃない。楽しむものだ @1101yuwa ◉みんながお互いに仲良くたすけ合う心豊かな世界を目指す Tom10686 ◉人とのご縁と、時間 珠…♪ ◉いつも感謝を忘れず、そして想いは言葉にして伝える @RichaPu_ ◉正しいことより楽しい方を社会に個性が殺される人を全員助ける ふざける社長 ◉後世にまで続く社会貢献 @yutas48307294 ◉人生に失敗がないと人生を失敗する MAGO ◉周りの人間に左右されず自分を貫き通す！カケル ◉自分の生命に感謝しつつも、自分をぶち壊す存在で在り続けたい。アブラクン ◉明日は今日と違う自分になる @galas_nomado ◉ここを全力で楽しく生きる！どんな瞬間も愛をもって感謝する！ @Rie_k89 ◉人の「夢」を創ること、世界中をEXJOYさせていく。@ryuki0020 ◉好奇心旺盛！一度の人生後悔なく！大穂拓也 ◉自分を律して自分に打ち克つ @aaayane_13 ◉「好き」をエンジンに走る @haruki_7_7 ◉去年よりも今、昨日よりも今日の自分が一番好き @t0mcha_28 ◉生きてるだけで丸儲け。という言葉。言霊、考え方、万物への接し方 @comuichi0 ◉死んだアイツらが羨ましく思うくらい人生をおもしろくする JIME ◉自分の実直さをもって、人や組織がより円滑に、より大きくなることにコミットする @Raytrb ◉好奇心の赴くままに。@cotton___3 ◉自分の大切なものを大切にできる能力を常に磨き続ける @amai_ksp ◉生きている人は美しい。本当の意味で「生きる」事へ、人を導く。@miyanishizono ◉やりたい事、自分にしか出来ない事だけをやり続けたい。矢島福仁 ◉優しい人が優しくされる世界にする @as_uncertainty ◉自分の感情に正直になる。やりたくないことはやらない。@t_fujiuchi ◉言い訳しないこと。@oicmonozuki ◉男前 @tombooks1031 ◉どんなときも自分の感覚、余裕、他への感謝を忘れないこと。@oka1531 ◉ホンモノをぶっ倒す極上のバッタモンになる ichiro.nk ◉夫と新しい風景を見ること @harurulog ◉自分自身の「楽しい」を突き詰めていきたい。@Araken_ ◉両親を始め、身の周りの人に活躍を喜んでもらえる自分でありたい @bkaopo ◉葬式の時、我が子達から誉めてもらえるような生き方をする！ @hiyokowlb ◉美女と美味いものを、死ぬまで @KazuhiroMatsus1 ◉日本教育をより良いものにするため広い視野で物事を考える。@Yozo1213 ◉失敗を恐れず挑戦し続ける ふかやま ◉自分が好きになったものをメジャーにする。@honestk3no ◉抽象度を上げ続ける @QLdelight ◉スニーカーとスニーカーの箱。単推しと箱推し。@ty4ngh6 ◉損得でなく善悪で行動し、弱きを助け思いやり、強きをくじく @copy_hoozuki ◉Never Settle & Connect the Dots@Anc_HKteach ◉子を持ち改めて思う、時間の共有とお金が重要 ytk

◉我以外皆我師 @FM_Shim ◉白眉であり続けること @hitonami251 ◉不登校から得た負けん気で！好きなものを追求し！多くの感動を！ @yama_trombone ◉自己評価より他人からの評価に生きる。@ForBetterDay4 ◉僕が好きなモノ・コト・ヒトを1人でも多く伝えていくこと @seiji27LiOgiso ◉がんばる事は自分で決められる @nomonomo0331 ◉孫におもしろい話ができるか否か @kun1aki ◉自分の創作欲求に素直になる。ちゅん坊 ◉できるかどうかじゃない、なりたいからなる @FCDESTILO ◉夢を語れる焼肉を作る！みんなに夢や目標もってほしいその願いがある @dORldq9CNJJ2q4s ◉したくないことはしない。好きなことだけで生きていくこと。すぎた なおひろ ◉自分を極める @keikokpkp ◉インスピレーションはいつだって正しい。@takashimaichiko ◉善意が消費されずに、価値を持って循環する社会を作りたい。@arter_kusanagi ◉人生の軸「周りにいる大切な人の健康をデザインする」Kazushi Takenaka ◉気づきや良さは人其々。自分を知り何をする。何が出来るのか。@Selene7Heilos ◉自分も含め、他人の価値観に変化をもたらすような出会いの瞬間に居続けたいノブシラハタ ◉義理と人情ぺやんでい ◉Do what I love & do something differentともい ◉クスリ笑いが1番おもろい。そんな人生を。@axluvof1 ◉自分が生きているうちに少しでもペット業界を変えたい！ @uepon1313 ◉目に見えるものだけじゃなく、目に見えないものも大切にすること @toshi10041 ◉人を陥れるような事ではなく、将来孫に自慢出来るか否か @khaomangai96er ◉「人間のプロ」を考え、常の意識と実践を志す @okok2215 ◉人生を後悔しないために存在価値を高めワクワクを追い求める @PanPanMan ◉小さな幸せに気付き、大きな幸せを築いていく @illpokan ◉自分が輝くより、関わる全ての人を輝かせられる人間でありたい。@ksk_sanaxia ◉我以外皆我師 @masatake914 ◉基本に忠実。自分の力は誰かの笑顔のためにまさ ◉人生は「今日をコレクション」@Obata210 ◉人々を尊重し合い、他者との共存と価値を創造する @pogino22 ◉楽しいと思うことをとことん追求していきたい @snjk ◉人生はRPG！経験値を溜めてレベルを上げて次のステージへ！ @yosuda_san ◉毎日自分史上最高テリー the_telly_ ◉いちごを通じて自分と仲良しに、そしてみんなが幸せにたくい@いちごおじさん ◉いろいろ挑戦して子供たちに自慢できる事を残したい！ @totoyoshito ◉他人だけじゃなく、自分自身との約束も大事にする @naoto_india ◉一緒にいる家族、一緒に働いている人達にできることを全力で @maechan_akabane ◉素直に謙虚で、日々成長。@takenoteny ◉人々の選択肢と可能性の幅を広げる @dekaru10 ◉自分の好きな土地に住む！ @tecchan1012 ◉人と人が出会うことによって生じる化学変化で世界をもっと豊かに @raiki_official ◉動きながら考える！常識を疑おう！涼佑@高校教師 ◉愛のこもった追求とシェア。変化を楽しむこと。MIO ◉メンタル疾患を抱えていても、自分らしく生きる。そして同じような人を増やす。@HossyMentalHack ◉父の様に自分の奥さんや子供の好きな事が出来るよう稼ぐ HiRO ◉働き方の選択肢を増やしていく @baito_sisho ◉他責ではなく自責。他責は変えられない。自責なら変えられる。@z_jdaihyokaneko ◉ハリーポッターを倒す @kingkuma_ ◉自分が得意、勝てると思った領域で全力の努力をする @must_reading ◉生きたいように生きる。リスクを取らないことが最大のリスク。@senorbarba ◉多様性を受け入れる。ワークアズライフ。@shoyaatg11 ◉メディアコミュニケーションを通して、優しさを循環させたい。R.Morikawa/カメラ紳士 ◉人生に必要なのは勇気と想像力、そして少しのお金。@rikuntyo1928 ◉社会的な力になるための訓練を重ね、人間国宝になる後藤浩之 ◉その人を良くするのも悪くするのも人。人の繋がりって素敵。@thecentral_hair ◉嫌なことからは逃げて、逃げて、逃げまくる。@smart_bloger ◉置かれた場所で咲きなさい @shihoo242 ◉美味しいを広めて、幸せを広める！相垣 魁 ◉認識のアップデートが人生を変える @t_yoshida_zq ◉ワクワク、ドキドキ！ @masahiro_co

◉人生を時間やお金に縛られず、ワクワクとトキメキで彩る！@miochan30_ ◉自分にしか到達できない何かを見つけ、オリジナルな自分になる。@I_kattin_jp ◉自分の思考と感性を磨くこと。家族と深く温かい関係を築くこと。@R_ZOSAN ◉全ての人がビジョンを通じて有機的に繋がり合う社会の実現 @pitts666 ◉何かを任されたら、期待以上の成果を出す。あお ◉思い立ったが吉日。出会いと気付きで人生楽しく。@hon_maru ◉おもしろいことを考えて生きる、学ぶことを辞めたら死んだも同然 @datu_syachiku ◉一期一会を大切に、出会った人全員を喜ばせたい @mmmwwww85 ◉何者かになる。大事な人と心から幸せに過ごす。@Katsuhi27475858 ◉瞬発力を忘れず、好きという感情を大切にする。@KoukIris12 ◉心穏やかに美しく過ごすこと。@k02bu2n0 ◉大切な事は立ち止まって考える。自分で決めた事は後悔しない。ORANGEみかん ◉フレキシブルに、しなやかに、ご機嫌に。@tegaki_mum ◉いつ死ぬか分からないなら一生遊ぶためにお笑いをすると決めた @seven_star12 ◉dream can do,reality can do@arrow_iwa ◉一つのことに周りの人たちと熱くなって没頭したい。@OFTN01 ◉出来ないことや分からないことを研究して自分の道を作りたいすま ◉だれもが志を持ち、その志に向かって生きていける世の中へ @daichiwatanuki ◉家族を幸せにすること。日々挑戦すること。@Daisuke_Ho ◉自分にしか到達できない何かを見つけ、オリジナルな自分になる。@I_kattin_jp ◉圧倒的に誠実であること @9PiiXTHyuYctzQ5 ◉明るくて優しい太陽のような存在でありたい。初期設定は笑顔です。こだいらちかこ ◉かっこよく生きる @bnk74d ◉自分も人も社会もお金も循環させること。@SBV0390 ◉人の可能性は無限大。可能性を引き出せる人間に！@tinsukounakama ◉辛いときほど人を思え @isamu2635 ◉迷った時は直感に従う @daiki904 ◉スポーツと体育をアップデートする @ascare_aobadai ◉最終的に家族と笑っていられるか @tasuki_w ◉心に太陽丸川陽一朗 ◉1つ1つの行動を丁寧に、幸せを感じながら行う。@Love1107Shu ◉お金というツールを使いこなせる人を増やすにしけい⊿乃木坂46好き投資家 ◉1分1秒でも長く笑っていられる選択を！@kahelelaniakala ◉怒らない。人に優しく。常に他人の為に行動する。正木涼 ◉優しさと思いやり @yumifee ◉美容の可能性をたくさんの人に伝え続ける @feaufleurnagata ◉自分は凡人である。凡人は努力が99%。澤山大輔 ◉関わる人が「自分も頑張ろう！」て思えるコトを提供する！@masamunechika ◉楽しく仲良く元気よく @zakkoku285 ◉ぼくの面白いがみんなの面白いになるように書き続ける！@yen_town1014 ◉子に好かれる父である @zawashige ◉わたしの幸せと、家族の笑顔。両方実現できるような生き方。@me_bangkok ◉「大丈夫、お前ならできるよ」って @makeawish4567 ◉大切な人たちの笑顔のために全力投球し続ける MTHRKND ◉まっすぐ見て、まっすぐ行動する @setsuyoii_niku ◉500万円借金あっても死ぬほど可愛い子とランチに行きたい。@shupeiman ◉今日が人生で一番若い日、迷ったときはワクワクする方を選ぶ @yoppie92 ◉大切なものは目に見えない。運命を自分のものにする @PRSBSI ◉興味・関心を大事にする。@kakipy722 ◉違う分野で培った知識を映画という分野でどう生かせるのか考える @eiganosumika ◉自分を裏切るな！誰よりも自分のファンであれ！@makikoh_zozo ◉昨日の自分よりも1%でも成長、前進する！@jouettencho ◉感情と論理のバランスを取りながら綱渡りのように歩む @momograndpa ◉理不尽をなくす @atsuyuki_adachi ◉あきらめず、失敗しながら進むのだ。@ryotasakurai_go ◉音楽と生きる。面倒なことは機械に。クリエイティブは人に。@pvnotora ◉Whether it is fair@qtvKqAJnifZjt8P ◉アホやしポジティブやし、そのうえ謙虚！@coaaach0528 ◉見栄をはらず、約束を守り、嘘をつかない。@minifumi_ohage ◉「美しい瞬間」を探し、撮り続ける。@ryonryon_tnok ◉新しい景色を見るために、努力を惜しまないこと！@naonori1991 ◉「向き不向きより前向き」に考え、行動する事。@4hi3hyon

◉大切な、そばにいる誰かのために生きる @taikitakahashi6 ◉片道3時間の通勤を皆から羨ましがられる有意義な時間にしたい。@akihiro4718 ◉いろいろな物語をおいしくいただく @mommegmigm ◉『ハイペースをマイペースに』生きていく。@ronshi777 ◉やらない後悔よりやった後悔。自分がしてきた努力を信じる。@ritsu_photo129 ◉私に関わる人達を笑顔あふれるようにする。人生は1度きりだから @starhappyhiyoko ◉「はずむ、はねる、こころおどる」、その方角へ @Bound_pj ◉踊る楽しさをたくさんの人に伝えたい。@akitoshi_ono ◉本当に大切な人を、大切にして生きる。@chuboc ◉日本の地域をアップデートする。@kochan19951008 ◉じぶんの内なる変人、世界の変人と共存しながら豊かに暮らす @poka_resort ◉人の世を楽しみ味わう。グミ ◉妻の夢を叶える @roolues ◉自分で自分を「カッケーな俺！」と誇れる選択をし続ける @nyakichi2 ◉『やりたいことをやる。やりたくないことはやらない。』@_tamitom ◉今この瞬間の自分が幸せであるように。@squiddd_92 ◉好奇心よ永遠に。例え大成できずとも茶番にできれば良しとする。@kawac ◉”自他の命を尊重し生きる豊かで幸せなエステティシャンを増やす“エステティシャンの先生 ◉柔軟な考え方を持ちつつ自分が信じた道を貫く @tcas_hcs ◉他責ではなく自責（自分が成長することで良い影響を広める）@yuu1985u ◉頑張った人が頑張っただけ成果が出せるように頑張り方を伝えていく！小木曽一馬 ◉父の自殺を無駄にしない為にも多くの中小企業経営者を救いたい！@kanou_fin_strat ◉青春と童心を取り戻しながら楽しく生きる！@mintmint824 ◉人の役に立ち、笑顔を増やす！@atsumiee ◉「自分で選択しているか？」@football0321 ◉看護は思いやり @mumeiseisinkaNs ◉誰かのために何かのために見える範囲のすべてのために @k7123_VG ◉「色々な人と話をして、私という存在を知ってもらうこと」@takeshi_OT ◉「手軽に」マルゴト、ジブンゴト @MDATAM5 ◉「何事も最後は自分で決める」@gooloohs ◉子供達にとって最高のシングルマザーでいること @kaedetonagi ◉ただ生きるのではなく、善く生きる @yusuke22ysh ◉為せば成る為さねば成らぬなにごとも 成らぬは人の為さぬなりけり @hijiribusi ◉「他人軸ではなく自分軸で生きる」@yuu_uu_ ◉楽しく生きる！！@chiechi_sad ◉無駄なものに、全力にだーりぁ ◉どうせ上手くいく♡から何事も諦めずにトライ＆フィードバック♬Lala♡ ◉だれと生きるか @ysdtkhr041311 ◉自分より凄い人がいる厳しい環境に身を投じ、成長し続けること。TAKE-P ◉スポーツ×教育で、日本をかっこいい国にする。@kjm_you ◉人生を存分に味わいながら、深くて強い人間関係を育んでいくこと桃子@いとしま暮らし ◉人の行く裏に道あり花の山、常に逆張りの人生を送りたい @ucks0921 ◉充実した毎日と少しの反省すなたろう ◉自分の理想（いつでも向上可）を追い続けること！みつき ◉鍼灸師って自由じゃん加藤ミツアキ@しんきゅう ◉教育は与えるものじゃない。子どもと創るエンタメな教育を！Kuro-t@教師2.0 ◉「MoKoQ」モコっとしてキュっ、柔らかくも滑らない！！ミライ ◉すべての人の生き方を肯定したい。自由に生きる手助けができたらいいなと思う。Mook hary ◉時間の約束は絶対に守ること。松村隆平 ◉野球人口減少を食い止めつつ、スポーツ人口を増やしたい @hero11apex ◉自分にとって楽しいと思えることを最優先!!@oer3000 ◉我がわが運命の支配者、我がわが魂の指揮官 @aragakisai ◉自分が好きな自分であること @MISAKI_010 ◉「何としても」を大切に傍目でなく意志での一歩 earth_15592358 ◉汝自身を知れ。他人のための自分であれ。@hamakou02 ◉今日という日を、おもしろく。@TKDyykk ◉ 自分に対しても他人に対しても常に真剣でありたい @sksamurairock ◉迷ったら、人として正しいことをやる @yamapyblack ◉いろんなことに挑戦して今を熱狂して生きる。@tetuyadesu87 ◉大事なのは転ばないことではなく、転んだ後に起き上がることだ。くまねこ ◉生きてたらなんでもええ。オモロく生きよう。@dynamic_ninzya ◉愛する家族とのつながりを一番大切にできる僕でいること @noboru_zzz

◉自分の気持ちに正直に、そして思うがままに突き進め @sho_kotan11 ◉誰かの心を救える人であること。@121kikyo ◉人の幸せを考えられる自分になるぷにまん ◉まっすぐ我が道を切り開く。"陰キャデザイナーRin" ◉「カッコいいかダサいか、面白いか面白くないか」チバヨシキ ◉「今日は残りの人生の初日」であることを理解し毎日を大切に生きていく @misadon14 ◉美味しい料理はどんな人でも笑顔にすることができる！ @shamanippon19tk ◉コソ練して、器用貧乏を極める @field8of8view ◉先手必「笑」で相手の懐に入り込む！ @h_obikawa ◉ワクワクと感動そして、お酒・おつまみ澁谷直行 ◉家族の応援が自分の元気、僕の応援がみんなを元気にする。@narasika0814 ◉自分自身変わらないために変わり続ける @scholesy415 ◉何にも依存せず、好きな時に好きな人と好きなことをする。@shogosurf ◉クレイジーにでっかい夢をもって挑戦し続ける！ @hirayu_ESQ ◉フレスコボールで笑顔を増やし、誰もが幸せなライフスタイルを @entertainer1014 ◉ありがとう。 その一言が、些細な幸せを運ぶ。小沼隼人 ◉「自分の存在を証明し続けるための人生であれ」あまねでり ◉幸せになる。最小の努力で最大の成果を。@katsu_da_ ◉周りの人を笑顔に、そして幸せに出来るように自分を磨く。なな ◉死ぬ瞬間生まれてきて良かったーって笑顔で言えるよう、めいっぱい成長しながら全力で楽しむ。@aochi0428 ◉口角あげて、いつも笑顔で前向いて！望月大（山梨県中央市 旧豊富村） ◉「海辺でビールを毎日飲む」生活をするための選択をし続ける。@bobisummer0 ◉他人の時間ではなく、自分の時間を生きる @thankyou_kazu ◉最大多数の最小不幸社会を。@juvenile_tetra ◉大切にしてくれる人を大切に。@smp_y_t ◉愛されるよりも 愛したい マジで @matchan_GO ◉独りで思考するための時間、空間を入手して、人に分け与えたい。@CurryEnghi ◉誰かの本気に火をつけること！ kaiji ◉プラス思考、即行動、人のせいにしない。@furikaereba ◉自由と朝を大事にする！ @freeryman ◉ Work as Lifeの時代、働くを熱中できるものにしたい @You_kwmr ◉お金の大事さを知ってお金じゃないと言える人生を歩めるように @yasuedaryo ◉未常識を常識に @iJ2phCYrzfef26u ◉迷ったら楽しいこと事が待っていそうな道を選ぶ！ @aiko050215 ◉真っ直ぐに生きる。自分の出来る事は惜しみなくやる！見返りは要らない。@kitamru ◉臨機応変 @magotatsu ◉自由と責任 @yn_7074 ◉興味の赴くまま幅広く経験する。経験こそが知への第1歩。@kentonewparty ◉人生を「芸術作品」のように創造する @mrtaoyame ◉宇宙でワクワクを創る！ @sidesmart ◉物語を紡ぎ 世界に愛をそっと置き 自らも愛する人達と共に。@aiset44 ◉マイペースに、楽しく生きること。きよさん ◉やりたいことはやる、やりたいことをやり続ける @SOSOCHIN ◉強さや厳しさをも持ち合わせた本当の優しさを身につける @hisa52247921 ◉何があっても仲間を裏切らない HN:ダイリョー ◉出来ることを増やすけど、出来ないことはあきらめる。@TakayaMiura ◉見て知って触れて創って、自分の力が誰かの力になるように生きるあんじぇら ◉人を喜ばせ、笑顔に囲まれて全力で生きる @Tkdashouta121 ◉妻の幸せも自分の幸せ、自分の幸せは自分の幸せ @lpRGiHbVjFWVNJx ◉夢中に明るく楽しくチャレンジし続ける！ @koichaaa ◉子供達の好奇心に寄り添って、笑顔にできる活動や教育を優先！おかちん ◉挑戦・努力をし続けて、自分が好きな自分になる！ @manawayyy ◉誠実であり、感動に溢れた毎日を過ごしたい。@midor_ik ◉いつも明るく元気よく！税金で人を幸せにしたい！ @ryomar13 ◉果物を通して、暮らしに寄り添い 生活を彩る @Hana_Uta33 ◉自分を選んでくれた人に感動を届ける @miraizo624 ◉人の役に立って豊かになって、豊かさを再分配する上野ユウスケ ◉常に考え、クリエイティブに生きる。hazimaru ◉元ダメ人間でも人生逆転できることを証明する @upstarts777 ◉とりあえず走ってみる、走りながら考える @kururicky1995 ◉ウソすら自覚して曝け出すちょーダサくてチョーカッコいい人生 negi0123 ◉うまい酒を飲むこと @1010900551

◉みんなの幸福の最大化。わたしも、あなたも、みんなもうれしい、誰も嫌な気分にならないように行動を選択する。@ayumi70339135 ◉熱狂を生み、感動を与える、そして人を巻き込む。@YOUKIMMR0718 ◉美を学び、感性を磨き、魂の向上に努める。自分の周りから豊かに。井川英治 ◉笑っても、泣いても、怒っても、苦しくても楽しんだもん勝ちじんのすけ ◉組織全員を一流のトップセールスマンにする @kounosuke_jp ◉人間万事塞翁が馬 hitomiikegami ◉自分との約束を守れなくても、不本意な選択をしても自分を愛する @TKflyaway ◉決断を早く、そして行動も早く。@tsuzuki1031 ◉自分が変われば全てが変わる。そして、自分を信じる。@presentnow8 ◉感謝の気持ちを忘れず恩返しを100%行動で実行する m229 ◉良い人間になること。@LifeCanBeRich ◉花さかじいさんに！おれはなる！前田奨平 @渋谷の田舎っぺ ◉自分の思いに合致しているか @masanari_matuda ◉自分を愛せる人で居続ける @megumincoach ◉好きな人と楽しくおもしろく生きる @disko0925 ◉メモは自分を見つめ直す道具！keita ueno ◉自由に向けて精進し続ける春風誠 ◉人生は旅だよ。死ぬまで新しいもの求めて彷徨って旅したい @akihikoacc ◉直感・違和感を大切にする！@nlnl0930 ◉常にカッコイイと思われる姿・行動をする。kkk00884017 ◉後悔するな。反省はしろ。人生チャレンジ!! karukarunon ◉トライアンドエラーで思ったこと全てどんどん試すこと @YUtomi39624 ◉人にやさしく、仕事につよく @itpro_se ◉センスを感じ、美しいと感じる方に進むのりたダー ◉好奇心の赴くまま～妻と娘の笑顔とともに～@nijinosora711 ◉常に感性を開いて、高エネルギーで、人生というゲームを楽しむ！2no_nino ◉出会う全ての人に「笑顔がとびきり可愛い人」と思わせる @nishikawakoike ◉周りを幸せにするため楽しさを追求し自らが幸せになる。@haruchina_r ◉美しく生きる @matchicchi ◉形式上20歳の私の内側にいる5歳の自分と一生共にありたい～@sapotendarr ◉誰一人として見捨てない @poichan1213 ◉自分に正直に、今を楽しむ。@ryohe11_k ◉探究と実践を繰り返し、成長し続ける子供っぽい大人になる @stupidkanya25 ◉後悔だけはしたくない。今が一番楽しい人生を送りたい @yancha1996 ◉自分に正直に生きる。自分がやりたいかどうか自分聞く。@OK__69 ◉文化祭の準備で学校に居残りするような、あの非日常感を永遠に @rohikarohirohi ◉まずは自分が手を動かす。ちいさなことからコツコツと。@hamami_chan ◉周りを楽しませる。自分も楽しむ。@TikTom03 ◉おいしいものを食べて、美しい本を読み、優れたものを広める。@boushiseijin ◉百八子煩悩、喜優哀楽 @GVm2fKNb0UvlTJd ◉面白きこともなきこの世を面白くすみなすものは心なりけり世界の大塚 ◉人から受けた恩は返せ，嘘はつくな @uzumoto ◉やらないで後悔より、やって後悔。未経験よりも、失敗の経験を。かわしー@川島衣装 ◉周りを明るく照らす @yoshino_naho ◉1人のことを考えることが全体を考えていることになる。@shingo5793 ◉既存のものにとらわれず、常に新しい音楽を作り続ける kotaro_ukulele ◉大好きな人達と幸せ・ワクワクを共有する hamutaro_ijk ◉やりたい事はすべてやる。自分に素直になる。@UTND37375 ◉人生の中のあらゆる選択において一切の妥協をしない @teru_business ◉偶然は運命、今を全力で楽しむ。@benben723tana ◉人生の軸は直感 @itoshi0128 ◉人が生まれた環境や障がいの有無によって選択肢が阻まれない世の中を作ること @ultrarunnerman ◉理不尽な不平等を解消する/利他主義のココロ @4ha4ha23ha ◉常にスパイシーな選択をする。@spicyspiccc ◉めんどくさくなるくらい感受性強く保って生きる。@the84clouder ◉やりたい事はすぐにやる！@04x2k ◉日本から世界に発信するサービスを生み出し情熱を注ぎ続けたい @hana_c8787 ◉人をよく見て、人を大切にする @youwithalways ◉常に自分らしく動き回り続けて自由に生きる！@tokyopapico ◉オモシロいと感じた自分の感性を信じて、突き進む！こまっしー ◉スポーツを通して小さい子からお年寄りまでみんなを笑顔にしたい @TEmgo3PidsQFaUy

◉これからの自分にワクワクできる世の中をつくること@sota_adavito ◉怒られてもいいから楽しいことを。@hidenkym0910 ◉自分を好きでいられる行動をすること@syk629 ◉大切な人やものを扱うように自分を扱う@lamwilly09 ◉場所を問わず、自分を生きる環境を創る@ToshinoriNagata ◉自分も他人も信頼をするが期待はしない@kuraokayuji.jp _lml_ ◉いつも自分の心に素直に。@xruncha610x ◉仲間と共に、楽しみ尽くす。@naoyakeiba ◉組織の想いを支援する@takaness2 ◉他人の意見に身を任せず、自分軸で生きる。@trie228 ◉いつでもどんな時でもカッコよくっ@tako_atp ◉学校教育で唯一マンパワーで終わってしまう先生の仕組みを俺が変える@ikebogirl ◉好きな人と笑いあえる時間をたくさん過ごすために働く遊ぶ食べる@haruki_writer ◉笑いを起こす@shigeshigeo3 ◉みんな違って、それでいい。ブルーのげん ◉まず自分自身が幸せになる。そしたら大切な人も幸せになれる。@neo_infohunter ◉信心をベースとした他者への献身で、乾いたリアルに潤いを。@say16_kontani ◉バスケットを通じて新たな出会い@chitooo13 ◉「好きなことで稼ぐ」を諦めない。@manaa_illust ◉未来は割と上手くいってるはずだから今を楽しみたい@MIKO_sinnaka ◉終わりなき旅@3369kentaro ◉聖書の神さまが私を存在させたその目的に沿って生きてる。@tanruka ◉子供が自分らしく生きられるように、まず自分が実践する@jubilotomovie ◉自分を磨き続けること@akira_satou0424 ◉色々なこと勉強、発信し続けること。&酒飲んでスケートボード。シタッケ ◉どんなときも、目の前のひとを笑顔にできる存在であり続けたい@yappy_mon ◉楽しいこと@takagisho5 ◉成功に囚われるな、成長に囚われろ@falcon_hako ◉多様性のある自分密度の高い人生を送る@RingenRingen ◉自分の周りを常に大好きでいっぱいにしたい!(もの・人・時間)@cheesecakescone ◉最高の人生は、自分の素直な感情と向き合うことでしか生まれない@asagiod ◉酸いも甘いも噛み締めて、今目の前の幸せを味わい尽くす。@22_nyannchii ◉誰かの味方になれる自分でいたいななみゆういち ◉自分の目の前に居る自分が尊敬する人を一生涯超え続けていく@yoichimuramoto ◉誰かにとっての勇気でありたい@poem_yoshiki ◉変わろうとする思い、一歩踏み出す勇気!@1981_kuma ◉楽しく全力で、家族&従業員を物心両面で豊かにする!Miya ◉今を楽しむ、自分が何をやりたいかを優先して、とことんハマる。@MKO_LF5SON ◉できるだけ多くの人を笑顔にして日本を変える卍@hikaranaiy0 ◉心を込めて人と接し、その仲間と家族と行く旅路、一生挑戦。てんちゃん(天野鐘子) ◉ドル・コスト平均法でアセットアロケーション投資を死ぬまで継続!yorisan ◉自分が楽しくワクワクすることをする!@a_yasunaga ◉他人の目、声、世間に流されず自分らしく成長し、生き抜く事@yasuponpon1987 ◉自分自身の幸せな時間を最大化し、不幸せな時間を最小化するハマD ◉結果を出して、人に認められる事。@sweetroom115 ◉日々ワクワク、楽しく!@toraichi2929 ◉直感を大事にする。手書き文字でアウトプットして自分と向かい合って落とし込む。北海道のあずちゃん ◉若者の10年後の幸せを叶える@shukatu_man ◉今を楽しく生きるあずんず ◉産んでくれた両親に必ず恩返しをする@SHNKW_ ◉近くにいる大切な人の笑顔や喜びが自分への最高のご褒美スタイリストTOM ◉最後は家族!自分より子供!子供より妻!@hide_BOUQUET ◉出会う全ての人に感謝@a_takamo616 ◉1つ、全力疾走!1つ、元気・気力・根気!1つ、礼儀!したぁ!@Sugashin_taro ◉常に遊び感覚で楽しみ、人生最後の日に心から笑えるように生きるhide_136 ◉また会う時のために 真摯に生きるサボテンと月 ◉常に何事にも興味を持つ!korat802 ◉心わくわく 夢、無限大。一歩踏み出す「きっかけ」になる。@ymiyaji792 ◉自分の魂には嘘をつかない@EMUKMEKU ◉他人や周りを気にしない、すべては自分自身。花航 ◉心に素直に、感じるままに動く。ヒトとの縁と繋がり、自分を大切に。@kacharie8114 ◉愛されるクズでいたい冷たい料理の熱い戦い

◉人生はその場しのぎの連続 @olion_kusumoto ◉私と子どもがいろんなことを経験し、常にワクワクすること @pecopin0103 ◉好きなことだけする。やりたいと思ったら、すぐやる。@marchang_26 ◉私の不器用ながらも版画風の絵と切り絵とフォトのコラボ作品を模索し 作り上げる姿を見てもらい 自分もやれば出来るって元気になって 作品からもパワーを受け取って貰えたら最高！そんな生き方目指してます。@strawberry8808 ◉まわりが笑えば自分も幸せに包まれる @tanuki052 ◉自分も人も社会もお金も循環させること。@SBV0390 ◉感性を信じて、自分が強く心引かれ憧れるモノを目指し続ける @KJd4ew ◉筋トレ、外国語学習、読書を人生の軸とする。The Handsome Guy ◉好きな時間に好きな人たちと一緒にワイワイできるようになる！@uzr4b ◉現状維持を強いられること以上に、我が人生において苦痛なし。@TakafumiAmano11 ◉その時々で常に例外なく自分にとってのベストな選択をすること @kyoenglishac1 ◉自分が人生の主人公。最終的に必ず上手くいくから何でもやる。@takumi1208_goow ◉富士山よりも有名だ！と云われる山を創りたい @yama_kaigi ◉美味しいものを大好きな人と食べる♡ @otonajyoshicaf1 ◉とにかくワクワクし続ける @janboooo8888 ◉自分を大切にしてくれる人を大切にし、人生の舵は自分で取る @machiii0303 ◉自分と大切な人に優しく、いつも笑顔でいること。@tayunail ◉こちらが笑えば、相手も笑う。いつも笑顔で過ごすこと。コスパ大臣 ◉常に謙虚に、自分の存在が誰かの幸せにつながるように。@oooooorriiiii ◉想像・探求する魅力的な世界で圧倒的に輝く @kst9632 ◉人の為に自分らしく生きる @yamashu19 ◉家族、周り、自分自身の笑顔を大切にする。さくのしん ◉食べる、寝る、幸せ。@haaluu863 ◉粋なおっさんになる @he_ma427 ◉動物を愛し育てながら、その命を食べ生きることに向き合い続ける。@uruto5nyan ◉今ココにある幸せを味わい抜きつつ更に際限無きワクワクへ向かう @aikohime3 ◉たわいもない会話の中での笑顔とそこから覗く微かな希望 @yNDzyeabxHjuoKW ◉人生死ぬまで暇つぶし @tatsukingdom ◉他人に嫌われるかではなく自分を嫌いにならないかで行動決断する @mihappy0601_n ◉心は陽気に、大志を抱いて 北嶋正直 ◉正直であること、信じること（人を、世間を、自分を）@mamamikann ◉会社や誰かの看板ではなく自分の名前で人のお役に立ち続ける。@niwa_kento14 ◉22歳の夏、僕は小説に取り憑かれた。佐々野忠司 ◉授かった命、最後まで自分らしく使い切る。@cryota773h ◉どっちが正しいかじゃない。自分の選んだ方を正解にする。ツルギチシンジ ◉何事も最後は自分で決める @gooloohs ◉楽しいから生きている！@isaka122 ◉"ママの私"と"個の私"のバランスを自分の本音に沿って決める @okitaatsuko ◉人と人とを繋ぐ、地域のプラットホームになる会社にする Hideo Mizutani ◉些細なことを一歩ずつ 秋山将 ◉伏線を引き続けて（アクション）、回収もし続ける。@sozo_gakubu ◉楽しいとか幸せとかより、自分が納得してるかで選びたい。@m_tanjyoubi ◉日本を変えたい！という熱い想いを具現化する力になる！@Tayakuma3 ◉全ての人がフラットで、ダイバーシティが受け入れられる世界に @tyokogirai ◉のんびりとコツコツ努力。どんなときも「自分」を肯定する。@yakiniku0503 ◉徹頭徹尾、自分を生き切る。@zerozero971 ◉自分が最高に楽しんでて、それを周りに伝染させていく @ebekusoy ◉他を寄せ付けない圧倒的な努力が報われる世界に Kensuke Fukazawa ◉自分の直感と欲求に忠実に！日々成長！@ol_kyon ◉自分の心を騙さず、素直に行動 @sakuhassaku ◉我慢はせず、自分のやりたいことをやりたいときにやる はなのあたま ◉人生の岐路こそ自分の感情に正直になる @saema_info ◉明日死んだら？精神で、今この一瞬を全力で生きる（楽しむ）@hair_lifestyle ◉小さくても今よりも一歩先に歩む ジム・チョ☆ ◉この日常を、わたしが生きるこの町を、心から祝福する人でありたい @mametaro1417 ◉世の中の分断を繋ぐきっかけになる @mikasoshi ◉自分のワクワクを通じてみんなをハッピーにする @mana07_26

写真　iStock
装幀　トサカデザイン（戸倉 巌、小酒保子）
ブックライター　竹村俊助、渡辺静（WORDS）
編集アシスタント　篠原 舞、ニトロ（箕輪編集室）
編集　箕輪厚介（幻冬舎）
Special Thanks　前田裕二ゼミのみなさん

メモの魔力
The Magic of Memos

2018年12月25日　第1刷発行
2021年5月20日　第35刷発行

著者
前田裕二

発行者
見城 徹

発行所
株式会社 幻冬舎
〒151-0051 東京都渋谷区千駄ヶ谷4-9-7
電話　03(5411)6211［編集］
　　　03(5411)6222［営業］
振替　00120-8-767643

印刷・製本所
中央精版印刷株式会社

ISBN978-4-344-03408-2　C0095
JASRAC 出 1813804-135
幻冬舎ホームページアドレス
https://www.gentosha.co.jp/

この本に関するご意見・ご感想をメールで
お寄せいただく場合は、
comment@gentosha.co.jpまで。